Practicar

Eureka Math®

2.º grado
Módulos 1–5

Publicado por Great Minds®.

Impreso en los EE. UU.
Este libro puede comprarse en la editorial en eureka-math.org.
3 4 5 6 7 8 9 10 CCR 24 23 22

ISBN 978-1-64054-885-5

G2-SPA-M1-M5-P-05.2019

Aprender ♦ Practicar ♦ Triunfar

Los materiales del estudiante de *Eureka Math*® para *Una historia de unidades*™ (K–5) están disponibles en la trilogía *Aprender, Practicar, Triunfar*. Esta serie apoya la diferenciación y la recuperación y, al mismo tiempo, permite la accesibilidad y la organización de los materiales del estudiante. Los educadores descubrirán que la trilogía *Aprender, Practicar y Triunfar* también ofrece recursos consistentes con la Respuesta a la intervención (RTI, por sus siglas en inglés), las prácticas complementarias y el aprendizaje durante el verano que, por ende, son de mayor efectividad.

Aprender

Aprender de *Eureka Math* constituye un material complementario en clase para el estudiante, a través del cual pueden mostrar su razonamiento, compartir lo que saben y observar cómo adquieren conocimientos día a día. *Aprender* reúne el trabajo en clase—la Puesta en práctica, los Boletos de salida, los Grupos de problemas, las plantillas—en un volumen de fácil consulta y al alcance del usuario.

Practicar

Cada lección de *Eureka Math* comienza con una serie de actividades de fluidez que promueven la energía y el entusiasmo, incluyendo aquellas que se encuentran en *Practicar* de *Eureka Math*. Los estudiantes con fluidez en las operaciones matemáticas pueden dominar más material, con mayor profundidad. En *Practicar*, los estudiantes adquieren competencia en las nuevas capacidades adquiridas y refuerzan el conocimiento previo a modo de preparación para la próxima lección.

En conjunto, *Aprender* y *Practicar* ofrecen todo el material impreso que los estudiantes utilizarán para su formación básica en matemáticas.

Triunfar

Triunfar de *Eureka Math* permite a los estudiantes trabajar individualmente para adquirir el dominio. Estos grupos de problemas complementarios están alineados con la enseñanza en clase, lección por lección, lo que hace que sean una herramienta ideal como tarea o práctica suplementaria. Con cada grupo de problemas se ofrece una Ayuda para la tarea, que consiste en un conjunto de problemas resueltos que muestran, a modo de ejemplo, cómo resolver problemas similares.

Los maestros y los tutores pueden recurrir a los libros de *Triunfar* de grados anteriores como instrumentos acordes con el currículo para solventar las deficiencias en el conocimiento básico. Los estudiantes avanzarán y progresarán con mayor rapidez gracias a la conexión que permiten hacer los modelos ya conocidos con el contenido del grado escolar actual del estudiante.

Estudiantes, familias y educadores:

Gracias por formar parte de la comunidad de *Eureka Math®*, donde celebramos la dicha, el asombro y la emoción que producen las matemáticas. Una de las formas más evidentes de demostrar nuestro entusiasmo son las actividades de fluidez que ofrece Practicar de *Eureka Math*.

¿En qué consiste la fluidez en matemáticas?

Es natural asociar *fluidez* con la disciplina de lengua y literatura, donde se refiere a hablar y escribir con facilidad. Desde prekínder hasta 5.º grado, el currículo de *Eureka Math* ofrece diversas oportunidades, día a día, de consolidar la fluidez *en matemáticas*. Cada una de ellas está diseñada con el mismo concepto—aumentar la habilidad de todos los estudiantes de usar las matemáticas *con facilidad*—. El ritmo de las actividades de fluidez suele ser rápido y energético, celebrando el avance y concentrándose en el reconocimiento de patrones y asociaciones en el material. Estas actividades no tienen como objetivo dar calificaciones.

Las actividades de fluidez de *Eureka Math* brindan una práctica diferenciada a través de diversos formatos—algunas se realizan en forma oral, otras emplean materiales didácticos, otras utilizan una pizarra personal y otras incluso usan una guía de estudio y el formato de papel y lápiz—. *Practicar* de *Eureka Math* brinda a cada estudiante ejercicios de fluidez impresos correspondientes a su grado.

¿Qué es un Sprint?

Muchas de las actividades de fluidez impresas utilizan el formato denominado Sprint. Estos ejercicios desarrollan la velocidad y la exactitud en las destrezas que ya se han adquirido. Los Sprints, que se utilizan cuando los estudiantes ya están alcanzando un nivel de dominio óptimo, aprovechan el ritmo para provocar una pequeña descarga de adrenalina que aumenta la memoria y la retención. El diseño deliberado de los Sprints los hace diferenciados por naturaleza; los problemas van de sencillos a complejos, donde el primer cuadrante de los problemas es el más sencillo y la complejidad aumenta en los cuadrantes subsiguientes. Además, los patrones intencionales en la secuencia de los problemas obligan a los estudiantes a aplicar un razonamiento de nivel superior.

El formato sugerido para trabajar con un Sprint requiere que el estudiante realice dos Sprints consecutivos (identificados como A y B) para la misma destreza, en el lapso cronometrado de un minuto cada uno. Los estudiantes hacen una pausa entre los Sprints para expresar los patrones que identificaron al trabajar en el primer Sprint. El reconocimiento de patrones suele mejorar naturalmente el rendimiento en el segundo Sprint.

También es posible llevar a cabo los Sprint sin cronometrar el tiempo. Se recomienda especialmente no utilizar el cronometraje cuando los estudiantes aún están adquiriendo confianza en el nivel de complejidad del primer cuadrante de los problemas. Una vez que todos los estudiantes se encuentran preparados para llevar a cabo los Sprint con éxito, suele resultar estimulante y positivo comenzar a trabajar para mejorar la velocidad y la exactitud, aprovechando la energía que produce el uso del cronómetro.

¿Dónde puedo encontrar otras actividades de fluidez?

La *Edición del maestro* de *Eureka Math* guía a los educadores en el uso de las actividades de fluidez de cada lección, incluso aquellas que no requieren material impreso. Además, a través de *Eureka Digital Suite* se puede acceder a las actividades de fluidez de todos los grados, y es posible hacer una búsqueda por estándar o lección.

¡Les deseo un año colmado de momentos "¡ajá!"!

Jill Diniz

Jill Diniz
Jill Diniz Directora de matemáticas
Great Minds

Contenido

Módulo 1

Módulo 2

Módulo 3

Módulo 4

Módulo 5

2.º grado
Módulo 1

A

Respuestas correctas:

Nombre ______________________ Fecha ______________

Sumar decenas y algunas unidades

1.	10 + 1 = _____	16.	3 + 10 = _____
2.	10 + 2 = _____	17.	4 + 10 = _____
3.	10 + 4 = _____	18.	1 + 10 = _____
4.	10 + 3 = _____	19.	2 + 10 = _____
5.	10 + 5 = _____	20.	5 + 10 = _____
6.	10 + 6 = _____	21.	_____ = 10 + 5
7.	_____ = 10 + 1	22.	_____ = 10 + 8
8.	_____ = 10 + 4	23.	_____ = 10 + 9
9.	_____ = 10 + 3	24.	_____ = 10 + 6
10.	_____ = 10 + 5	25.	_____ = 10 + 7
11.	_____ = 10 + 2	26.	16 = _____ + 6
12.	10 + 6 = _____	27.	8 + _____ = 18
13.	10 + 9 = _____	28.	_____ + 10 = 17
14.	10 + 7 = _____	29.	19 = _____ + 10
15.	10 + 8 = _____	30.	18 = 8 + _____

B

Mejora: ________ Respuestas correctas:

Nombre ________________________________ Fecha ______________

Sumar decenas y algunas unidades

1.	10 + 5 = _____	16.	4 + 10 = _____
2.	10 + 4 = _____	17.	3 + 10 = _____
3.	10 + 3 = _____	18.	2 + 10 = _____
4.	10 + 2 = _____	19.	1 + 10 = _____
5.	10 + 1 = _____	20.	3 + 10 = _____
6.	10 + 5 = _____	21.	_____ = 10 + 6
7.	_____ = 10 + 4	22.	_____ = 10 + 9
8.	_____ = 10 + 2	23.	_____ = 10 + 5
9.	_____ = 10 + 1	24.	_____ = 10 + 7
10.	_____ = 10 + 3	25.	_____ = 10 + 8
11.	_____ = 10 + 4	26.	17 = _____ + 7
12.	10 + 6 = _____	27.	3 + _____ = 13
13.	10 + 7 = _____	28.	_____ + 10 = 16
14.	10 + 9 = _____	29.	18 = _____ + 10
15.	10 + 8 = _____	30.	17 = 7 + _____

Número objetivo:

Ejercicio de práctica

Selecciona un *número objetivo* y escríbelo en el círculo de la parte superior de la hoja. Tira un dado. Escribe el número que hayas tirado con el dado en el círculo del extremo de una de las flechas. Después, dale al blanco escribiendo el número que necesitas sumar para obtener el número objetivo que está en el otro círculo.

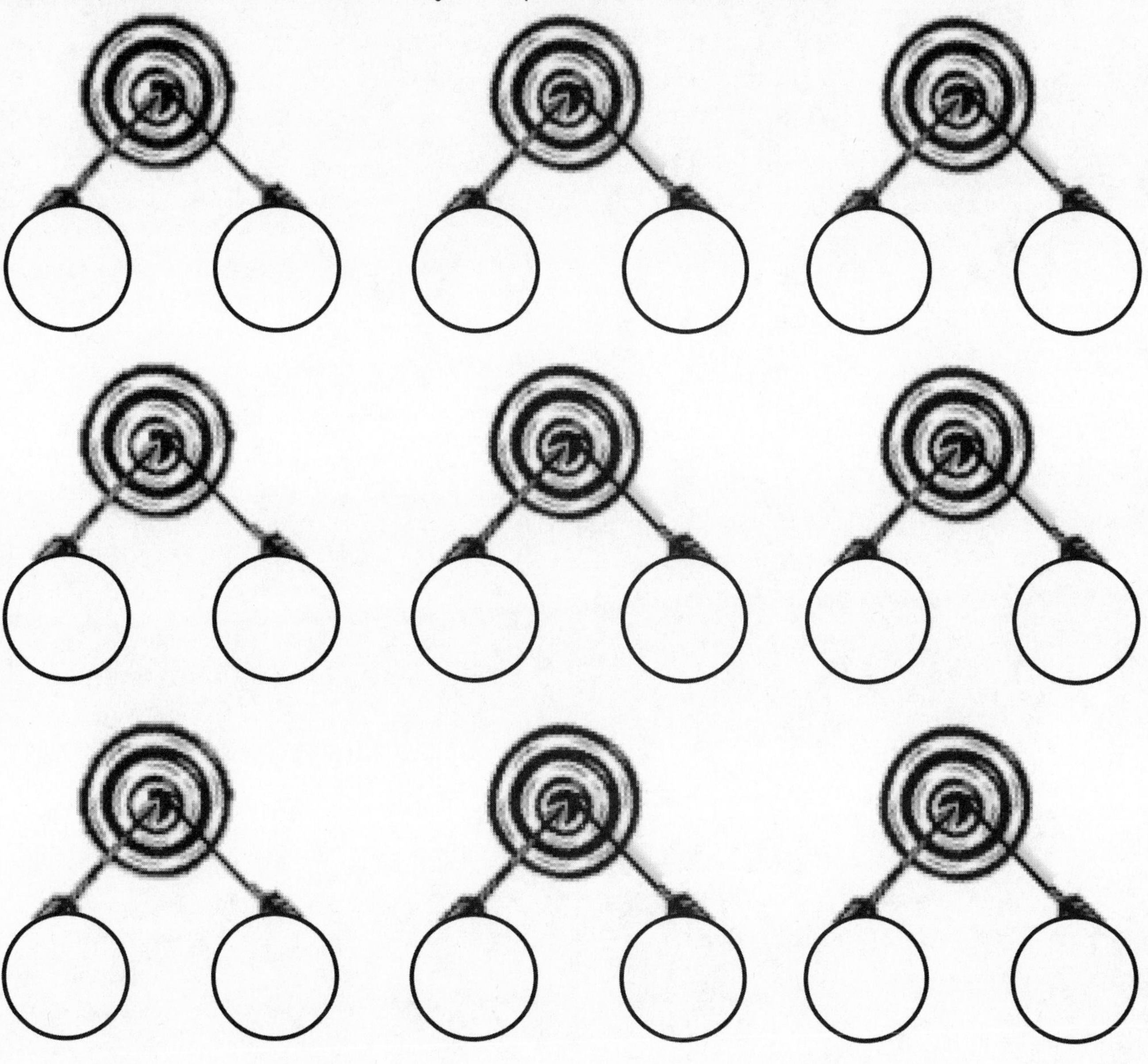

ejercicio de práctica

A

Respuestas correctas:

Nombre ____________________ Fecha ____________

Suma decenas y unidades.

1.	10 + 3 = _____	16.	10 + _____ = 13
2.	20 + 2 = _____	17.	40 + _____ = 42
3.	30 + 4 = _____	18.	60 + _____ = 61
4.	50 + 3 = _____	19.	70 + _____ = 75
5.	20 + 5 = _____	20.	80 + _____ = 83
6.	50 + 5 = _____	21.	60 + 9 = _____
7.	_____ = 40 + 1	22.	80 + 9 = _____
8.	_____ = 20 + 4	23.	80 + _____ = 86
9.	_____ = 20 + 3	24.	90 + _____ = 97
10.	_____ = 30 + 5	25.	_____ + 6 = 76
11.	_____ = 40 + 5	26.	_____ + 6 = 86
12.	30 + 6 = _____	27.	86 = _____ + 6
13.	20 + 9 = _____	28.	_____ + 60 = 67
14.	40 + 7 = _____	29.	95 = _____ + 90
15.	50 + 8 = _____	30.	97 = 7 + _____

B

Mejora: ________ Respuestas correctas:

Nombre ______________________________ Fecha ______________

Suma decenas y unidades.

1.	10 + 2 = _____	16.	10 + _____ = 12
2.	20 + 3 = _____	17.	40 + _____ = 42
3.	30 + 4 = _____	18.	60 + _____ = 61
4.	50 + 4 = _____	19.	70 + _____ = 75
5.	40 + 5 = _____	20.	80 + _____ = 83
6.	50 + 1 = _____	21.	70 + 8 = _____
7.	_____ = 50 + 1	22.	80 + 8 = _____
8.	_____ = 20 + 4	23.	70 + _____ = 76
9.	_____ = 20 + 2	24.	90 + _____ = 99
10.	_____ = 30 + 5	25.	_____ + 8 = 78
11.	_____ = 40 + 3	26.	_____ + 6 = 96
12.	30 + 7 = _____	27.	86 = _____ + 6
13.	20 + 8 = _____	28.	_____ + 60 = 67
14.	40 + 9 = _____	29.	95 = _____ + 90
15.	50 + 6 = _____	30.	97 = 7 + _____

A

Respuestas correctas:

Nombre ______________________ Fecha ____________

*Escribe el número faltante. Presta atención a los signos de + y -.

1.	3 + 1 = ___	16.	6 + 2 = ___
2.	13 + 1 = ___	17.	56 + 2 = ___
3.	23 + 1 = ___	18.	7 + 2 = ___
4.	1 + 2 = ___	19.	67 + 2 = ___
5.	11 + 2 = ___	20.	87 + 2 = ___
6.	21 + 2 = ___	21.	7 - 2 = ___
7.	31 + 2 = ___	22.	47 - 2 = ___
8.	61 + 2 = ___	23.	67 - 2 = ___
9.	4 - 1 = ___	24.	26 + 3 = ___
10.	14 - 1 = ___	25.	56 + ___ = 59
11.	24 - 1 = ___	26.	___ + 3 = 76
12.	54 - 1 = ___	27.	57 - ___ = 54
13.	5 - 3 = ___	28.	77 - ___ = 74
14.	15 - 3 = ___	29.	___ - 4 = 73
15.	25 - 3 = ___	30.	___ - 4 = 93

B

Respuestas correctas:

Nombre ______________________ Fecha ______________

*Escribe el número faltante. Presta atención a los signos de + y -.

1.	2 + 1 = ___	16.	7 + 2 = ___
2.	12 + 1 = ___	17.	67 + 2 = ___
3.	22 + 1 = ___	18.	4 + 5 = ___
4.	3 + 2 = ___	19.	54 + 5 = ___
5.	13 + 2 = ___	20.	84 + 5 = ___
6.	23 + 2 = ___	21.	8 - 6 = ___
7.	43 + 2 = ___	22.	48 - 6 = ___
8.	63 + 2 = ___	23.	78 - 6 = ___
9.	5 - 1 = ___	24.	33 + 4 = ___
10.	15 - 1 = ___	25.	63 + ___ = 67
11.	25 - 1 = ___	26.	___ + 3 = 77
12.	45 - 1 = ___	27.	59 - ___ = 56
13.	5 - 4 = ___	28.	79 - ___ = 76
14.	15 - 4 = ___	29.	___ - 6 = 73
15.	25 - 4 = ___	30.	___ - 6 = 93

2.º grado
Módulo 2

A

Respuestas correctas: ________

Antes, entre, después

1.	1, 2, ____		23.	99, ____, 101	
2.	11, 12, ____		24.	19, 20, ____	
3.	21, 22, ____		25.	119, 120, ____	
4.	71, 72, ____		26.	35, ____, 37	
5.	3, 4, ____		27.	135, ____, 137	
6.	3, ____, 5		28.	____, 24, 25	
7.	13, ____, 15		29.	____, 124, 125	
8.	23, ____, 25		30.	142, 143, ____	
9.	83, ____, 85		31.	138, ____, 140	
10.	7, 8, ____		32.	____, 149, 150	
11.	7, ____, 9		33.	148, ____, 150	
12.	____, 8, 9		34.	____, 149, 150	
13.	____, 18, 19		35.	____, 163, 164	
14.	____, 28, 29		36.	187, ____, 189	
15.	____, 58, 59		37.	____, 170, 171	
16.	12, 13, ____		38.	178, 179, ____	
17.	45, 46, ____		39.	192, ____, 194	
18.	12, ____, 14		40.	____, 190, 191	
19.	36, ____, 38		41.	197, ____, 199	
20.	____, 19, 20		42.	168, 169, ____	
21.	____, 89, 90		43.	199, ____, 201	
22.	98, 99, ____		44.	____, 160, 161	

B

Respuestas correctas: ________

Antes, entre, después

Mejora: ________

1.	0, 1, ____		23.	99, ____, 101	
2.	10, 11, ____		24.	29, 30, ____	
3.	20, 21, ____		25.	129, 130, ____	
4.	70, 71, ____		26.	34, ____, 36	
5.	2, 3, ____		27.	134, ____, 136	
6.	2, ____, 4		28.	____, 23, 24	
7.	12, ____, 14		29.	____, 123, 124	
8.	22, ____, 24		30.	141, 142, ____	
9.	82, ____, 84		31.	128, ____, 130	
10.	6, 7, ____		32.	____, 149, 150	
11.	6, ____, 8		33.	148, ____, 150	
12.	____, 7, 8		34.	____, 149, 150	
13.	____, 17, 18		35.	____, 173, 174	
14.	____, 27, 28		36.	167, ____, 169	
15.	____, 57, 58		37.	____, 160, 161	
16.	11, 12, ____		38.	188, 189, ____	
17.	44, 45, ____		39.	193, ____, 195	
18.	11, ____, 13		40.	____, 170, 171	
19.	35, ____, 37		41.	196, ____, 198	
20.	____, 19, 20		42.	178, 179, ____	
21.	____, 79, 80		43.	199, ____, 201	
22.	98, 99, ____		44.	____, 180, 181	

A

Respuestas correctas: ______

Haz diez

1.	0 + ____ = 10		23.	13 + ____ = 20	
2.	9 + ____ = 10		24.	23 + ____ = 30	
3.	8 + ____ = 10		25.	27 + ____ = 30	
4.	7 + ____ = 10		26.	5 + ____ = 10	
5.	6 + ____ = 10		27.	25 + ____ = 30	
6.	5 + ____ = 10		28.	2 + ____ = 10	
7.	1 + ____ = 10		29.	22 + ____ = 30	
8.	2 + ____ = 10		30.	32 + ____ = 40	
9.	3 + ____ = 10		31.	1 + ____ = 10	
10.	4 + ____ = 10		32.	11 + ____ = 20	
11.	10 + ____ = 10		33.	21 + ____ = 30	
12.	9 + ____ = 10		34.	31 + ____ = 40	
13.	19 + ____ = 20		35.	38 + ____ = 40	
14.	5 + ____ = 10		36.	36 + ____ = 40	
15.	15 + ____ = 20		37.	39 + ____ = 40	
16.	8 + ____ = 10		38.	35 + ____ = 40	
17.	18 + ____ = 20		39.	____ + 6 = 30	
18.	6 + ____ = 10		40.	____ + 8 = 20	
19.	16 + ____ = 20		41.	____ + 7 = 40	
20.	7 + ____ = 10		42.	____ + 6 = 20	
21.	17 + ____ = 20		43.	____ + 4 = 30	
22.	3 + ____ = 10		44.	____ + 8 = 40	

B

Respuestas correctas: ________

Haz diez

Mejora: ________

1.	10 + ____ = 10		23.	14 + ____ = 20	
2.	9 + ____ = 10		24.	24 + ____ = 30	
3.	8 + ____ = 10		25.	26 + ____ = 30	
4.	7 + ____ = 10		26.	9 + ____ = 10	
5.	6 + ____ = 10		27.	29 + ____ = 30	
6.	5 + ____ = 10		28.	3 + ____ = 10	
7.	1 + ____ = 10		29.	23 + ____ = 30	
8.	2 + ____ = 10		30.	33 + ____ = 40	
9.	3 + ____ = 10		31.	2 + ____ = 10	
10.	4 + ____ = 10		32.	12 + ____ = 20	
11.	0 + ____ = 10		33.	22 + ____ = 30	
12.	5 + ____ = 10		34.	32 + ____ = 40	
13.	15 + ____ = 20		35.	37 + ____ = 40	
14.	9 + ____ = 10		36.	34 + ____ = 40	
15.	19 + ____ = 20		37.	35 + ____ = 40	
16.	8 + ____ = 10		38.	39 + ____ = 40	
17.	18 + ____ = 20		39.	____ + 4 = 30	
18.	7 + ____ = 10		40.	____ + 9 = 20	
19.	17 + ____ = 20		41.	____ + 4 = 40	
20.	6 + ____ = 10		42.	____ + 7 = 20	
21.	16 + ____ = 20		43.	____ + 3 = 30	
22.	4 + ____ = 10		44.	____ + 9 = 40	

A

Respuestas correctas: ________

Operaciones relacionadas

1.	8 + 3 =		23.	15 - 6 =	
2.	3 + 8 =		24.	15 - 9 =	
3.	11 - 3 =		25.	8 + 7 =	
4.	11 - 8 =		26.	7 + 8 =	
5.	7 + 4 =		27.	15 - 7 =	
6.	4 + 7 =		28.	15 - 8 =	
7.	11 - 4 =		29.	9 + 4 =	
8.	11 - 7 =		30.	4 + 9 =	
9.	9 + 3 =		31.	13 - 4 =	
10.	3 + 9 =		32.	13 - 9 =	
11.	12 - 3 =		33.	8 + 6 =	
12.	12 - 9 =		34.	6 + 8 =	
13.	8 + 5 =		35.	14 - 6 =	
14.	5 + 8 =		36.	14 - 8 =	
15.	13 - 5 =		37.	7 + 6 =	
16.	13 - 8 =		38.	6 + 7 =	
17.	7 + 5 =		39.	13 - 6 =	
18.	5 + 7 =		40.	13 - 7 =	
19.	12 - 5 =		41.	9 + 7 =	
20.	12 - 7 =		42.	7 + 9 =	
21.	9 + 6 =		43.	16 - 7 =	
22.	6 + 9 =		44.	16 - 9 =	

B

Respuestas correctas: ________

Operaciones relacionadas

Mejora: ________

1.	9 + 2 =		23.	15 - 7 =	
2.	2 + 9 =		24.	15 - 8 =	
3.	11 - 2 =		25.	9 + 6 =	
4.	11 - 9 =		26.	6 + 9 =	
5.	6 + 5 =		27.	15 - 6 =	
6.	5 + 6 =		28.	15 - 9 =	
7.	11 - 5 =		29.	7 + 5 =	
8.	11 - 6 =		30.	5 + 7 =	
9.	8 + 4 =		31.	12 - 5 =	
10.	4 + 8 =		32.	12 - 7 =	
11.	12 - 4 =		33.	9 + 5 =	
12.	12 - 8 =		34.	5 + 9 =	
13.	7 + 6 =		35.	14 - 5 =	
14.	6 + 7 =		36.	14 - 9 =	
15.	13 - 6 =		37.	8 + 6 =	
16.	13 - 7 =		38.	6 + 8 =	
17.	9 + 3 =		39.	14 - 6 =	
18.	3 + 9 =		40.	14 - 8 =	
19.	12 - 3 =		41.	9 + 8 =	
20.	12 - 9 =		42.	8 + 9 =	
21.	8 + 7 =		43.	17 - 8 =	
22.	7 + 8 =		44.	17 - 9 =	

A

Respuestas correctas: ________

Encierra en un círculo la longitud mayor.

1.	1 cm	0 cm
2.	11 cm	10 cm
3.	11 cm	12 cm
4.	22 cm	12 cm
5.	29 cm	30 cm
6.	31 cm	13 cm
7.	43 cm	33 cm
8.	33 cm	23 cm
9.	35 cm	53 cm
10.	50 cm	35 cm
11.	55 cm	45 cm
12.	50 cm	55 cm
13.	65 cm	56 cm
14.	66 cm	56 cm
15.	66 cm	86 cm
16.	86 cm	68 m
17.	68 cm	88 cm
18.	89 cm	98 cm
19.	99 cm	98 m
20.	99 cm	1 m
21.	1 m	101 cm
22.	1 m	90 cm
23.	110 cm	101 cm
24.	110 cm	1 m
25.	1 m	111 cm
26.	101 cm	1 m
27.	111 cm	101 cm
28.	112 cm	102 cm
29.	110 cm	115 cm
30.	115 cm	105 cm
31.	106 cm	116 cm
32.	108 cm	98 cm
33.	119 cm	99 cm
34.	131 cm	133 cm
35.	133 cm	113 cm
36.	142 cm	124 cm
37.	144 cm	114 cm
38.	154 cm	145 cm
39.	155 cm	152 cm
40.	198 cm	199 cm
41.	215 cm	225 cm
42.	252 cm	255 cm
43.	2 m	295 cm
44.	3 m	295 cm

B

Respuestas correctas: ________

Encierra en un círculo la longitud mayor.

Mejora: ________

1.	0 cm	1 cm	23.	111 cm	101 cm
2.	10 cm	12 cm	24.	101 cm	110 cm
3.	12 cm	11 cm	25.	1 m	110 cm
4.	32 cm	13 cm	26.	111 cm	1 m
5.	39 cm	40 cm	27.	113 cm	117 cm
6.	41 cm	14 cm	28.	112 cm	111 cm
7.	44 cm	40 cm	29.	115 cm	105 cm
8.	44 cm	54 cm	30.	106 cm	116 cm
9.	55 cm	65 cm	31.	107 cm	117 cm
10.	60 cm	59 cm	32.	118 cm	108 cm
11.	65 cm	45 cm	33.	119 cm	120 cm
12.	70 cm	65 cm	34.	132 cm	123 cm
13.	75 cm	57 cm	35.	133 cm	132 cm
14.	77 cm	76 cm	36.	143 cm	134 cm
15.	87 cm	78 cm	37.	144 cm	114 cm
16.	79 cm	97 m	38.	154 cm	145 cm
17.	79 cm	88 cm	39.	155 cm	152 cm
18.	98 cm	97 cm	40.	195 cm	199 cm
19.	99 cm	1 m	41.	225 cm	152 cm
20.	99 cm	100 cm	42.	252 cm	255 cm
21.	101 cm	100 cm	43.	2 m	295 cm
22.	1 m	101 cm	44.	3 m	295 cm

A

Respuestas correctas: ________

Resta

1.	3 - 1 =		23.	8 - 7 =	
2.	13 - 1 =		24.	18 - 7 =	
3.	23 - 1 =		25.	58 - 7 =	
4.	53 - 1 =		26.	62 - 2 =	
5.	4 - 2 =		27.	9 - 8 =	
6.	14 - 2 =		28.	19 - 8 =	
7.	24 - 2 =		29.	29 - 8 =	
8.	64 - 2 =		30.	69 - 8 =	
9.	4 - 3 =		31.	7 - 3 =	
10.	14 - 3 =		32.	17 - 3 =	
11.	24 - 3 =		33.	77 - 3 =	
12.	74 - 3 =		34.	59 - 9 =	
13.	6 - 4 =		35.	9 - 7 =	
14.	16 - 4 =		36.	19 - 7 =	
15.	26 - 4 =		37.	89 - 7 =	
16.	96 - 4 =		38.	99 - 5 =	
17.	7 - 5 =		39.	78 - 6 =	
18.	17 - 5 =		40.	58 - 5 =	
19.	27 - 5 =		41.	39 - 7 =	
20.	47 - 5 =		42.	28 - 6 =	
21.	43 - 3 =		43.	49 - 4 =	
22.	87 - 7 =		44.	67 - 4 =	

B

Respuestas correctas: ________

Resta

Mejora: ________

1.	2 - 1 =		23.	8 - 7 =	
2.	12 - 1 =		24.	18 - 7 =	
3.	22 - 1 =		25.	68 - 7 =	
4.	52 - 1 =		26.	32 - 2 =	
5.	5 - 2 =		27.	9 - 8 =	
6.	15 - 2 =		28.	19 - 8 =	
7.	25 - 2 =		29.	29 - 8 =	
8.	65 - 2 =		30.	79 - 8 =	
9.	4 - 3 =		31.	8 - 4 =	
10.	14 - 3 =		32.	18 - 4 =	
11.	24 - 3 =		33.	78 - 4 =	
12.	84 - 3 =		34.	89 - 9 =	
13.	7 - 4 =		35.	9 - 7 =	
14.	17 - 4 =		36.	19 - 7 =	
15.	27 - 4 =		37.	79 - 7 =	
16.	97 - 4 =		38.	89 - 5 =	
17.	6 - 5 =		39.	68 - 6 =	
18.	16 - 5 =		40.	48 - 5 =	
19.	26 - 5 =		41.	29 - 7 =	
20.	46 - 5 =		42.	38 - 6 =	
21.	23 - 3 =		43.	59 - 4 =	
22.	67 - 7 =		44.	77 - 4 =	

A

Respuestas correctas: ______

Haz un metro.

1.	10 cm + ____ = 100 cm		23.	____ + 62 cm = 1 m	
2.	30 cm + ____ = 100 cm		24.	____ + 72 cm = 1 m	
3.	50 cm + ____ = 100 cm		25.	____ + 92 cm = 1 m	
4.	70 cm + ____ = 100 cm		26.	____ + 29 cm = 1 m	
5.	90 cm + ____ = 100 cm		27.	____ + 39 cm = 1 m	
6.	80 cm + ____ = 100 cm		28.	____ + 59 cm = 1 m	
7.	60 cm + ____ = 100 cm		29.	____ + 89 cm = 1 m	
8.	40 cm + ____ = 100 cm		30.	____ + 88 cm = 1 m	
9.	20 cm + ____ = 100 cm		31.	____ + 68 cm = 1 m	
10.	21 cm + ____ = 100 cm		32.	____ + 18 cm = 1 m	
11.	23 cm + ____ = 100 cm		33.	____ + 15 cm = 1 m	
12.	25 cm + ____ = 100 cm		34.	____ + 55 cm = 1 m	
13.	27 cm + ____ = 100 cm		35.	44 cm + ____ = 1 m	
14.	37 cm + ____ = 100 cm		36.	55 cm + ____ = 1 m	
15.	38 cm + ____ = 100 cm		37.	88 cm + ____ = 1 m	
16.	39 cm + ____ = 100 cm		38.	1 m = ____ + 33 cm	
17.	49 cm + ____ = 100 cm		39.	1 m = ____ + 66 cm	
18.	50 cm + ____ = 100 cm		40.	1 m = ____ + 99 cm	
19.	52 cm + ____ = 100 cm		41.	1 m - 11 cm = ____	
20.	56 cm + ____ = 100 cm		42.	1 m - 15 cm = ____	
21.	58 cm + ____ = 100 cm		43.	1 m - 17 cm = ____	
22.	62 cm + ____ = 100 cm		44.	1 m - 19 cm = ____	

B

Respuestas correctas: ________

Haz un metro.

Mejora: ________

1.	1 cm + ____ = 100 cm	
2.	10 cm + ____ = 100 cm	
3.	20 cm + ____ = 100 cm	
4.	40 cm + ____ = 100 cm	
5.	60 cm + ____ = 100 cm	
6.	80 cm + ____ = 100 cm	
7.	90 cm + ____ = 100 cm	
8.	70 cm + ____ = 100 cm	
9.	50 cm + ____ = 100 cm	
10.	30 cm + ____ = 100 cm	
11.	31 cm + ____ = 100 cm	
12.	33 cm + ____ = 100 cm	
13.	35 cm + ____ = 100 cm	
14.	37 cm + ____ = 100 cm	
15.	39 cm + ____ = 100 cm	
16.	49 cm + ____ = 100 cm	
17.	59 cm + ____ = 100 cm	
18.	60 cm + ____ = 100 cm	
19.	62 cm + ____ = 100 cm	
20.	66 cm + ____ = 100 cm	
21.	68 cm + ____ = 100 cm	
22.	72 cm + ____ = 100 cm	

23.	____ + 72 cm = 1 m	
24.	____ + 82 cm = 1 m	
25.	____ + 28 cm = 1 m	
26.	____ + 38 cm = 1 m	
27.	____ + 48 cm = 1 m	
28.	____ + 45 cm = 1 m	
29.	____ + 43 cm = 1 m	
30.	____ + 34 cm = 1 m	
31.	____ + 24 cm = 1 m	
32.	____ + 14 cm = 1 m	
33.	____ + 12 cm = 1 m	
34.	____ + 10 cm = 1 m	
35.	11 cm + ____ = 1 m	
36.	33 cm + ____ = 1 m	
37.	55 cm + ____ = 1 m	
38.	1 m = ____ + 22 cm	
39.	1 m = ____ + 88 cm	
40.	1 m = ____ + 99 cm	
41.	1 m - 1 cm = ____	
42.	1 m - 5 cm = ____	
43.	1 m - 7 cm = ____	
44.	1 m - 17 cm = ____	

2.º grado
Módulo 3

A

Respuestas correctas: ________

Restas de hasta 10 con números del 11 al 19

1.	3 - 1 =	
2.	13 - 1 =	
3.	5 - 1 =	
4.	15 - 1 =	
5.	7 - 1 =	
6.	17 - 1 =	
7.	4 - 2 =	
8.	14 - 2 =	
9.	6 - 2 =	
10.	16 - 2 =	
11.	8 - 2 =	
12.	18 - 2 =	
13.	4 - 3 =	
14.	14 - 3 =	
15.	6 - 3 =	
16.	16 - 3 =	
17.	8 - 3 =	
18.	18 - 3 =	
19.	6 - 4 =	
20.	16 - 4 =	
21.	8 - 4 =	
22.	18 - 4 =	

23.	7 - 4 =	
24.	17 - 4 =	
25.	7 - 5 =	
26.	17 - 5 =	
27.	9 - 5 =	
28.	19 - 5 =	
29.	7 - 6 =	
30.	17 - 6 =	
31.	9 - 6 =	
32.	19 - 6 =	
33.	8 - 7 =	
34.	18 - 7 =	
35.	9 - 8 =	
36.	19 - 8 =	
37.	7 - 3 =	
38.	17 - 3 =	
39.	5 - 4 =	
40.	15 - 4 =	
41.	8 - 5 =	
42.	18 - 5 =	
43.	8 - 6 =	
44.	18 - 6 =	

B

Respuestas correctas: ________

Mejora: ________

Restas de hasta 10 con números del 11 al 19

1.	2 - 1 =		23.	9 - 4 =	
2.	12 - 1 =		24.	19 - 4 =	
3.	4 - 1 =		25.	6 - 5 =	
4.	14 - 1 =		26.	16 - 5 =	
5.	6 - 1 =		27.	8 - 5 =	
6.	16 - 1 =		28.	18 - 5 =	
7.	3 - 2 =		29.	8 - 6 =	
8.	13 - 2 =		30.	18 - 6 =	
9.	5 - 2 =		31.	9 - 6 =	
10.	15 - 2 =		32.	19 - 6 =	
11.	7 - 2 =		33.	9 - 7 =	
12.	17 - 2 =		34.	19 - 7 =	
13.	5 - 3 =		35.	9 - 8 =	
14.	15 - 3 =		36.	19 - 8 =	
15.	7 - 3 =		37.	8 - 3 =	
16.	17 - 3 =		38.	18 - 3 =	
17.	9 - 3 =		39.	6 - 4 =	
18.	19 - 3 =		40.	16 - 4 =	
19.	5 - 4 =		41.	9 - 5 =	
20.	15 - 4 =		42.	19 - 5 =	
21.	7 - 4 =		43.	7 - 6 =	
22.	17 - 4 =		44.	17 - 6 =	

A

Respuestas correctas: ________

Suma números menores de 10

1.	5 + 5 + 5 =		23.	1 + 9 + 5 =	
2.	9 + 1 + 3 =		24.	3 + 5 + 5 =	
3.	2 + 8 + 4 =		25.	8 + 4 + 6 =	
4.	3 + 7 + 2 =		26.	9 + 7 + 1 =	
5.	4 + 6 + 9 =		27.	2 + 6 + 8 =	
6.	9 + 0 + 6 =		28.	0 + 8 + 7 =	
7.	3 + 0 + 8 =		29.	8 + 4 + 3 =	
8.	2 + 7 + 7 =		30.	9 + 2 + 2 =	
9.	6 + 6 + 6 =		31.	4 + 4 + 4 =	
10.	7 + 8 + 4 =		32.	6 + 8 + 5 =	
11.	3 + 5 + 9 =		33.	4 + 5 + 7 =	
12.	9 + 1 + 1 =		34.	7 + 3 + 1 =	
13.	5 + 5 + 6 =		35.	6 + 4 + 3 =	
14.	8 + 2 + 8 =		36.	1 + 9 + 9 =	
15.	3 + 4 + 7 =		37.	5 + 8 + 5 =	
16.	5 + 0 + 8 =		38.	3 + 3 + 5 =	
17.	6 + 2 + 6 =		39.	7 + 0 + 6 =	
18.	6 + 3 + 9 =		40.	4 + 5 + 9 =	
19.	2 + 4 + 7 =		41.	4 + 8 + 4 =	
20.	3 + 8 + 6 =		42.	2 + 6 + 7 =	
21.	5 + 7 + 6 =		43.	3 + 5 + 6 =	
22.	3 + 6 + 9 =		44.	2 + 6 + 9 =	

B

Respuestas correctas: ________

Mejora: ________

Suma números menores de 10

1.	5 + 5 + 4 =	
2.	7 + 3 + 5 =	
3.	1 + 9 + 8 =	
4.	4 + 6 + 2 =	
5.	2 + 8 + 9 =	
6.	7 + 0 + 6 =	
7.	4 + 0 + 9 =	
8.	2 + 9 + 9 =	
9.	4 + 5 + 4 =	
10.	8 + 7 + 5 =	
11.	2 + 7 + 9 =	
12.	9 + 1 + 2 =	
13.	6 + 4 + 5 =	
14.	8 + 2 + 3 =	
15.	1 + 4 + 9 =	
16.	3 + 8 + 0 =	
17.	7 + 4 + 7 =	
18.	5 + 3 + 8 =	
19.	7 + 3 + 4 =	
20.	5 + 8 + 6 =	
21.	7 + 6 + 4 =	
22.	5 + 8 + 4 =	

23.	8 + 2 + 5 =	
24.	9 + 1 + 6 =	
25.	3 + 6 + 4 =	
26.	3 + 2 + 7 =	
27.	4 + 8 + 6 =	
28.	9 + 9 + 0 =	
29.	0 + 7 + 5 =	
30.	8 + 4 + 4 =	
31.	3 + 8 + 8 =	
32.	5 + 7 + 6 =	
33.	3 + 4 + 9 =	
34.	3 + 7 + 3 =	
35.	6 + 4 + 5 =	
36.	7 + 9 + 1 =	
37.	2 + 6 + 8 =	
38.	5 + 3 + 7 =	
39.	6 + 0 + 9 =	
40.	2 + 5 + 7 =	
41.	3 + 6 + 3 =	
42.	4 + 2 + 9 =	
43.	6 + 3 + 5 =	
44.	7 + 2 + 9 =	

A

Respuestas correctas: ________

Forma expandida

1.	20 + 1 =		23.	400 + 20 + 5 =	
2.	20 + 2 =		24.	200 + 60 + 1 =	
3.	20 + 3 =		25.	200 + 1 =	
4.	20 + 9 =		26.	300 + 1 =	
5.	30 + 9 =		27.	400 + 1 =	
6.	40 + 9 =		28.	500 + 1 =	
7.	80 + 9 =		29.	700 + 1 =	
8.	40 + 4 =		30.	300 + 50 + 2 =	
9.	50 + 5 =		31.	300 + 2 =	
10.	10 + 7 =		32.	100 + 10 + 7 =	
11.	20 + 5 =		33.	100 + 7 =	
12.	200 + 30 =		34.	700 + 10 + 5 =	
13.	300 + 40 =		35.	700 + 5 =	
14.	400 + 50 =		36.	300 + 40 + 7 =	
15.	500 + 60 =		37.	300 + 7 =	
16.	600 + 70 =		38.	500 + 30 + 2 =	
17.	700 + 80 =		39.	500 + 2 =	
18.	200 + 30 + 5 =		40.	2 + 500 =	
19.	300 + 40 + 5 =		41.	2 + 600 =	
20.	400 + 50 + 6 =		42.	2 + 40 + 600 =	
21.	500 + 60 + 7 =		43.	3 + 10 + 700 =	
22.	600 + 70 + 8 =		44.	8 + 30 + 700 =	

B

Respuestas correctas: ________

Mejora: ________

Forma expandida

1.	10 + 1 =		23.	500 + 30 + 6 =	
2.	10 + 2 =		24.	300 + 70 + 1 =	
3.	10 + 3 =		25.	300 + 1 =	
4.	10 + 9 =		26.	400 + 1 =	
5.	20 + 9 =		27.	500 + 1 =	
6.	30 + 9 =		28.	600 + 1 =	
7.	70 + 9 =		29.	900 + 1 =	
8.	30 + 3 =		30.	400 + 60 + 3 =	
9.	40 + 4 =		31.	400 + 3 =	
10.	80 + 7 =		32.	100 + 10 + 5 =	
11.	90 + 5 =		33.	100 + 5 =	
12.	100 + 20 =		34.	800 + 10 + 5 =	
13.	200 + 30 =		35.	800 + 5 =	
14.	300 + 40 =		36.	200 + 30 + 7 =	
15.	400 + 50 =		37.	200 + 7 =	
16.	500 + 60 =		38.	600 + 40 + 2 =	
17.	600 + 70 =		39.	600 + 2 =	
18.	300 + 40 + 5 =		40.	2 + 600 =	
19.	400 + 50 + 6 =		41.	3 + 600 =	
20.	500 + 60 + 7 =		42.	3 + 40 + 600 =	
21.	600 + 70 + 8 =		43.	5 + 10 + 800 =	
22.	700 + 80 + 9 =		44.	9 + 20 + 700 =	

A

Respuestas correctas: ________

Forma expandida

1.	100 + 20 + 3 =	
2.	100 + 20 + 4 =	
3.	100 + 20 + 5 =	
4.	100 + 20 + 8 =	
5.	100 + 30 + 8 =	
6.	100 + 40 + 8 =	
7.	100 + 70 + 8 =	
8.	500 + 10 + 9 =	
9.	500 + 10 + 8 =	
10.	500 + 10 + 7 =	
11.	500 + 10 + 3 =	
12.	700 + 30 =	
13.	700 + 3 =	
14.	30 + 3 =	
15.	700 + 33 =	
16.	900 + 40 =	
17.	900 + 4 =	
18.	40 + 4 =	
19.	900 + 44 =	
20.	800 + 70 =	
21.	800 + 7 =	
22.	70 + 7 =	

23.	800 + 77 =	
24.	300 + 90 + 2 =	
25.	400 + 80 =	
26.	600 + 7 =	
27.	200 + 60 + 4 =	
28.	100 + 9 =	
29.	500 + 80 =	
30.	80 + 500 =	
31.	2 + 50 + 400 =	
32.	2 + 400 + 50 =	
33.	3 + 70 + 800 =	
34.	40 + 9 + 800 =	
35.	700 + 9 + 20 =	
36.	5 + 300 =	
37.	400 + 90 + 10 =	
38.	500 + 80 + 20 =	
39.	900 + 60 + 40 =	
40.	400 + 80 + 2 =	
41.	300 + 60 + 5 =	
42.	200 + 27 + 5 =	
43.	8 + 700 + 59 =	
44.	47 + 500 + 8 =	

B

Respuestas correctas: ________

Mejora: ________

Forma expandida

1.	100 + 30 + 4 =		23.	700 + 66 =	
2.	100 + 30 + 5 =		24.	200 + 90 + 4 =	
3.	100 + 30 + 6 =		25.	500 + 70 =	
4.	100 + 30 + 9 =		26.	800 + 6 =	
5.	100 + 40 + 9 =		27.	400 + 70 + 4 =	
6.	100 + 50 + 9 =		28.	700 + 9 =	
7.	100 + 80 + 9 =		29.	800 + 50 =	
8.	400 + 10 + 8 =		30.	50 + 800 =	
9.	400 + 10 + 7 =		31.	2 + 80 + 400 =	
10.	400 + 10 + 6 =		32.	2 + 400 + 80 =	
11.	400 + 10 + 2 =		33.	3 + 70 + 500 =	
12.	700 + 80 =		34.	60 + 3 + 800 =	
13.	700 + 8 =		35.	900 + 7 + 20 =	
14.	80 + 8 =		36.	4 + 300 =	
15.	700 + 88 =		37.	500 + 90 + 10 =	
16.	900 + 20 =		38.	600 + 80 + 20 =	
17.	900 + 2 =		39.	900 + 60 + 40 =	
18.	20 + 2 =		40.	600 + 8 + 2 =	
19.	900 + 22 =		41.	800 + 6 + 5 =	
20.	700 + 60 =		42.	800 + 27 + 5 =	
21.	700 + 6 =		43.	8 + 100 + 49 =	
22.	60 + 6 =		44.	37 + 600 + 8 =	

A

Respuestas correctas: ________

Suma y resta hasta 10.

1.	2 + 1 =		23.	8 - 2 =	
2.	1 + 2 =		24.	8 - 6 =	
3.	3 - 1 =		25.	8 + 2 =	
4.	3 - 2 =		26.	2 + 8 =	
5.	4 + 1 =		27.	10 - 2 =	
6.	1 + 4 =		28.	10 - 8 =	
7.	5 - 1 =		29.	4 + 3 =	
8.	5 - 4 =		30.	3 + 4 =	
9.	8 + 1 =		31.	7 - 3 =	
10.	1 + 8 =		32.	7 - 4 =	
11.	9 - 1 =		33.	5 + 3 =	
12.	9 - 8 =		34.	3 + 5 =	
13.	3 + 2 =		35.	8 - 3 =	
14.	2 + 3 =		36.	8 - 5 =	
15.	5 - 2 =		37.	6 + 3 =	
16.	5 - 3 =		38.	3 + 6 =	
17.	5 + 2 =		39.	9 - 3 =	
18.	2 + 5 =		40.	9 - 6 =	
19.	7 - 2 =		41.	5 + 4 =	
20.	7 - 5 =		42.	4 + 5 =	
21.	6 + 2 =		43.	9 - 5 =	
22.	2 + 6 =		44.	9 - 4 =	

EUREKA MATH

Lección 11: Contar el valor total de las unidades, decenas y centenas con discos de valor posicional.

61

B

Respuestas correctas: ________

Mejora: ________

Suma y resta hasta 10.

1.	3 + 1 =	
2.	1 + 3 =	
3.	4 - 1 =	
4.	4 - 3 =	
5.	5 + 1 =	
6.	1 + 5 =	
7.	6 - 1 =	
8.	6 - 5 =	
9.	9 + 1 =	
10.	1 + 9 =	
11.	10 - 1 =	
12.	10 - 9 =	
13.	4 + 2 =	
14.	2 + 4 =	
15.	6 - 2 =	
16.	6 - 4 =	
17.	7 + 2 =	
18.	2 + 7 =	
19.	9 - 2 =	
20.	9 - 7 =	
21.	5 + 2 =	
22.	2 + 5 =	

23.	7 - 2 =	
24.	7 - 5 =	
25.	8 + 2 =	
26.	2 + 8 =	
27.	10 - 2 =	
28.	10 - 8 =	
29.	4 + 3 =	
30.	3 + 4 =	
31.	7 - 3 =	
32.	7 - 4 =	
33.	5 + 3 =	
34.	3 + 5 =	
35.	8 - 3 =	
36.	8 - 5 =	
37.	7 + 3 =	
38.	3 + 7 =	
39.	10 - 3 =	
40.	10 - 7 =	
41.	5 + 4 =	
42.	4 + 5 =	
43.	9 - 5 =	
44.	9 - 4 =	

A

Respuestas correctas: ________

Sumas de 10 con números del 11 al 19.

1.	3 + 1 =	
2.	13 + 1 =	
3.	5 + 1 =	
4.	15 + 1 =	
5.	7 + 1 =	
6.	17 + 1 =	
7.	4 + 2 =	
8.	14 + 2 =	
9.	6 + 2 =	
10.	16 + 2 =	
11.	8 + 2 =	
12.	18 + 2 =	
13.	4 + 3 =	
14.	14 + 3 =	
15.	6 + 3 =	
16.	16 + 3 =	
17.	5 + 5 =	
18.	15 + 5 =	
19.	7 + 3 =	
20.	17 + 3 =	
21.	6 + 4 =	
22.	16 + 4 =	

23.	4 + 5 =	
24.	14 + 5 =	
25.	2 + 5 =	
26.	12 + 5 =	
27.	5 + 4 =	
28.	15 + 4 =	
29.	3 + 4 =	
30.	13 + 4 =	
31.	3 + 6 =	
32.	13 + 6 =	
33.	7 + 1 =	
34.	17 + 1 =	
35.	8 + 1 =	
36.	18 + 1 =	
37.	4 + 3 =	
38.	14 + 3 =	
39.	4 + 1 =	
40.	14 + 1 =	
41.	5 + 3 =	
42.	15 + 3 =	
43.	4 + 4 =	
44.	14 + 4 =	

B

Respuestas correctas: ________

Mejora: ________

Sumas de 10 con números del 11 al 19.

1.	2 + 1 =		23.	9 + 1 =	
2.	12 + 1 =		24.	19 + 1 =	
3.	4 + 1 =		25.	5 + 1 =	
4.	14 + 1 =		26.	15 + 1 =	
5.	6 + 1 =		27.	5 + 3 =	
6.	16 + 1 =		28.	15 + 3 =	
7.	3 + 2 =		29.	6 + 2 =	
8.	13 + 2 =		30.	16 + 2 =	
9.	5 + 2 =		31.	3 + 6 =	
10.	15 + 2 =		32.	13 + 6 =	
11.	7 + 2 =		33.	7 + 2 =	
12.	17 + 2 =		34.	17 + 2 =	
13.	5 + 3 =		35.	1 + 8 =	
14.	15 + 3 =		36.	11 + 8 =	
15.	7 + 3 =		37.	3 + 5 =	
16.	17 + 3 =		38.	13 + 5 =	
17.	6 + 3 =		39.	4 + 2 =	
18.	16 + 3 =		40.	14 + 2 =	
19.	5 + 4 =		41.	5 + 4 =	
20.	15 + 4 =		42.	15 + 4 =	
21.	1 + 9 =		43.	1 + 6 =	
22.	11 + 9 =		44.	11 + 6 =	

A

Respuestas correctas: ________

Conteo de valor posicional hasta 100

1.	5 decenas			23.	80 + 4 =	
2.	6 decenas 2 unidades			24.	4 + 80 =	
3.	6 decenas 3 unidades			25.	7 decenas	
4.	6 decenas 8 unidades			26.	5 decenas 8 unidades	
5.	60 + 4 =			27.	5 decenas 9 unidades	
6.	4 + 60 =			28.	5 decenas 2 unidades	
7.	8 decenas			29.	50 + 7 =	
8.	9 decenas 4 unidades			30.	7 + 50 =	
9.	9 decenas 5 unidades			31.	10 decenas	
10.	9 decenas 8 unidades			32.	7 decenas 4 unidades	
11.	90 + 6 =			33.	80 + 3 =	
12.	6 + 90 =			34.	7 + 90 =	
13.	6 decenas			35.	6 decenas + 10 =	
14.	7 decenas 6 unidades			36.	9 decenas 3 unidades	
15.	7 decenas 7 unidades			37.	70 + 2 =	
16.	7 decenas 3 unidades			38.	3 + 50 =	
17.	70 + 8 =			39.	60 + 2 decenas =	
18.	8 + 70 =			40.	8 decenas 6 unidades	
19.	9 decenas			41.	90 + 2 =	
20.	8 decenas 1 unidad			42.	5 + 60 =	
21.	8 decenas 2 unidades			43.	8 decenas 20 unidades	
22.	8 decenas 7 unidades			44.	30 + 7 decenas =	

B

Respuestas correctas: ________

Mejora: ________

Conteo de valor posicional hasta 100

1.	6 decenas		23.	60 + 4 =	
2.	5 decenas 2 unidades		24.	4 + 60 =	
3.	5 decenas 3 unidades		25.	8 decenas	
4.	5 decenas 8 unidades		26.	7 decenas 8 unidades	
5.	4 + 60 =		27.	7 decenas 9 unidades	
6.	50 + 4 =		28.	7 decenas 2 unidades	
7.	4 + 50 =		29.	70 + 5 =	
8.	8 decenas 4 unidades		30.	5 + 70 =	
9.	8 decenas 5 unidades		31.	10 decenas	
10.	8 decenas 8 unidades		32.	5 decenas 6 unidades	
11.	80 + 6 =		33.	60 + 3 =	
12.	6 + 80 =		34.	6 + 70 =	
13.	7 decenas		35.	5 decenas + 10 =	
14.	9 decenas 6 unidades		36.	7 decenas 4 unidades	
15.	9 decenas 7 unidades		37.	80 + 3 =	
16.	9 decenas 3 unidades		38.	2 + 90 =	
17.	90 + 8 =		39.	70 + 2 decenas	
18.	8 + 90 =		40.	6 decenas 8 unidades	
19.	5 decenas		41.	70 + 3 =	
20.	6 decenas 1 unidad		42.	7 + 80 =	
21.	6 decenas 2 unidades		43.	9 decenas 10 unidades	
22.	6 decenas 7 unidades		44.	40 + 6 decenas =	

A

Respuestas correctas: ________

Revisión de resta con números del 11 al 19.

1.	3 - 1 =		23.	7 - 4 =	
2.	13 - 1 =		24.	17 - 4 =	
3.	5 - 1 =		25.	7 - 5 =	
4.	15 - 1 =		26.	17 - 5 =	
5.	7 - 1 =		27.	9 - 5 =	
6.	17 - 1 =		28.	19 - 5 =	
7.	4 - 2 =		29.	7 - 6 =	
8.	14 - 2 =		30.	17 - 6 =	
9.	6 - 2 =		31.	9 - 6 =	
10.	16 - 2 =		32.	19 - 6 =	
11.	8 - 2 =		33.	8 - 7 =	
12.	18 - 2 =		34.	18 - 7 =	
13.	4 - 3 =		35.	9 - 8 =	
14.	14 - 3 =		36.	19 - 8 =	
15.	6 - 3 =		37.	7 - 3 =	
16.	16 - 3 =		38.	17 - 3 =	
17.	8 - 3 =		39.	5 - 4 =	
18.	18 - 3 =		40.	15 - 4 =	
19.	6 - 4 =		41.	8 - 5 =	
20.	16 - 4 =		42.	18 - 5 =	
21.	8 - 4 =		43.	8 - 6 =	
22.	18 - 4 =		44.	18 - 6 =	

B

Respuestas correctas: ________

Mejora: ________

Revisión de resta con números del 11 al 19.

1.	2 - 1 =	
2.	12 - 1 =	
3.	4 - 1 =	
4.	14 - 1 =	
5.	6 - 1 =	
6.	16 - 1 =	
7.	3 - 2 =	
8.	13 - 2 =	
9.	5 - 2 =	
10.	15 - 2 =	
11.	7 - 2 =	
12.	17 - 2 =	
13.	5 - 3 =	
14.	15 - 3 =	
15.	7 - 3 =	
16.	17 - 3 =	
17.	9 - 3 =	
18.	19 - 3 =	
19.	5 - 4 =	
20.	15 - 4 =	
21.	7 - 4 =	
22.	17 - 4 =	

23.	9 - 4 =	
24.	19 - 4 =	
25.	6 - 5 =	
26.	16 - 5 =	
27.	8 - 5 =	
28.	18 - 5 =	
29.	8 - 6 =	
30.	18 - 6 =	
31.	9 - 6 =	
32.	19 - 6 =	
33.	9 - 7 =	
34.	19 - 7 =	
35.	9 - 8 =	
36.	19 - 8 =	
37.	8 - 3 =	
38.	18 - 3 =	
39.	6 - 4 =	
40.	16 - 4 =	
41.	9 - 5 =	
42.	19 - 5 =	
43.	7 - 6 =	
44.	17 - 6 =	

A

Respuestas correctas: ________

Notación expandida

1.	20 + 1 =		23.	400 + 20 + 5 =	
2.	20 + 2 =		24.	200 + 60 + 1 =	
3.	20 + 3 =		25.	200 + 1 =	
4.	20 + 9 =		26.	300 + 1 =	
5.	30 + 9 =		27.	400 + 1 =	
6.	40 + 9 =		28.	500 + 1 =	
7.	80 + 9 =		29.	700 + 1 =	
8.	40 + 4 =		30.	300 + 50 + 2 =	
9.	50 + 5 =		31.	300 + 2 =	
10.	10 + 7 =		32.	100 + 10 + 7 =	
11.	20 + 5 =		33.	100 + 7 =	
12.	200 + 30 =		34.	700 + 10 + 5 =	
13.	300 + 40 =		35.	700 + 5 =	
14.	400 + 50 =		36.	300 + 40 + 7 =	
15.	500 + 60 =		37.	300 + 7 =	
16.	600 + 70 =		38.	500 + 30 + 2 =	
17.	700 + 80 =		39.	500 + 2 =	
18.	200 + 30 + 5 =		40.	2 + 500 =	
19.	300 + 40 + 5 =		41.	2 + 600 =	
20.	400 + 50 + 6 =		42.	2 + 40 + 600 =	
21.	500 + 60 + 7 =		43.	3 + 10 + 700 =	
22.	600 + 70 + 8 =		44.	8 + 30 + 700 =	

B

Notación expandida

Respuestas correctas: ________

Mejora: ________

1.	10 + 1 =		23.	500 + 30 + 6 =	
2.	10 + 2 =		24.	300 + 70 + 1 =	
3.	10 + 3 =		25.	300 + 1 =	
4.	10 + 9 =		26.	400 + 1 =	
5.	20 + 9 =		27.	500 + 1 =	
6.	30 + 9 =		28.	600 + 1 =	
7.	70 + 9 =		29.	900 + 1 =	
8.	30 + 3 =		30.	400 + 60 + 3 =	
9.	40 + 4 =		31.	400 + 3 =	
10.	80 + 7 =		32.	100 + 10 + 5 =	
11.	90 + 5 =		33.	100 + 5 =	
12.	100 + 20 =		34.	800 + 10 + 5 =	
13.	200 + 30 =		35.	800 + 5 =	
14.	300 + 40 =		36.	200 + 30 + 7 =	
15.	400 + 50 =		37.	200 + 7 =	
16.	500 + 60 =		38.	600 + 40 + 2 =	
17.	600 + 70 =		39.	600 + 2 =	
18.	300 + 40 + 5 =		40.	2 + 600 =	
19.	400 + 50 + 6 =		41.	3 + 600 =	
20.	500 + 60 + 7 =		42.	3 + 40 + 600 =	
21.	600 + 70 + 8 =		43.	5 + 10 + 800 =	
22.	700 + 80 + 9 =		44.	9 + 20 + 700 =	

A

Respuestas correctas: ________

Suma—Cruzando diez

1.	9 + 1 =	
2.	9 + 2 =	
3.	9 + 3 =	
4.	9 + 9 =	
5.	8 + 2 =	
6.	8 + 3 =	
7.	8 + 4 =	
8.	8 + 9 =	
9.	9 + 1 =	
10.	9 + 4 =	
11.	9 + 5 =	
12.	9 + 8 =	
13.	8 + 2 =	
14.	8 + 5 =	
15.	8 + 6 =	
16.	8 + 8 =	
17.	9 + 1 =	
18.	9 + 7 =	
19.	8 + 2 =	
20.	8 + 7 =	
21.	9 + 1 =	
22.	9 + 6 =	

23.	7 + 3 =	
24.	7 + 4 =	
25.	7 + 5 =	
26.	7 + 9 =	
27.	6 + 4 =	
28.	6 + 5 =	
29.	6 + 6 =	
30.	6 + 9 =	
31.	5 + 5 =	
32.	5 + 6 =	
33.	5 + 7 =	
34.	5 + 9 =	
35.	4 + 6 =	
36.	4 + 7 =	
37.	4 + 9 =	
38.	3 + 7 =	
39.	3 + 9 =	
40.	5 + 8 =	
41.	2 + 8 =	
42.	4 + 8 =	
43.	1 + 9 =	
44.	2 + 9 =	

B

Respuestas correctas: ________

Mejora: ________

Suma—Cruzando diez

1.	8 + 2 =		23.	7 + 3 =	
2.	8 + 3 =		24.	7 + 4 =	
3.	8 + 4 =		25.	7 + 5 =	
4.	8 + 8 =		26.	7 + 8 =	
5.	9 + 1 =		27.	6 + 4 =	
6.	9 + 2 =		28.	6 + 5 =	
7.	9 + 3 =		29.	6 + 6 =	
8.	9 + 8 =		30.	6 + 8 =	
9.	8 + 2 =		31.	5 + 5 =	
10.	8 + 5 =		32.	5 + 6 =	
11.	8 + 6 =		33.	5 + 7 =	
12.	8 + 9 =		34.	5 + 8 =	
13.	9 + 1 =		35.	4 + 6 =	
14.	9 + 4 =		36.	4 + 7 =	
15.	9 + 5 =		37.	4 + 8 =	
16.	9 + 9 =		38.	3 + 7 =	
17.	9 + 1 =		39.	3 + 9 =	
18.	9 + 7 =		40.	5 + 9 =	
19.	8 + 2 =		41.	2 + 8 =	
20.	8 + 7 =		42.	4 + 9 =	
21.	9 + 1 =		43.	1 + 9 =	
22.	9 + 6 =		44.	2 + 9 =	

A

Respuestas correctas: ________

Suma—Cruzando diez.

1.	9 + 2 =	11
2.	9 + 3 =	12
3.	9 + 4 =	13
4.	9 + 7 =	16
5.	7 + 9 =	16
6.	10 + 1 =	11
7.	10 + 2 =	12
8.	10 + 3 =	13
9.	10 + 8 =	18
10.	8 + 10 =	18
11.	8 + 3 =	11
12.	8 + 4 =	12
13.	8 + 5 =	13
14.	8 + 9 =	17
15.	9 + 8 =	17
16.	7 + 4 =	11
17.	10 + 5 =	15
18.	6 + 5 =	11
19.	7 + 5 =	12
20.	9 + 5 =	14
21.	5 + 9 =	14
22.	10 + 6 =	16

23.	4 + 7 =	11
24.	4 + 8 =	12
25.	5 + 6 =	11
26.	5 + 7 =	12
27.	3 + 8 =	11
28.	3 + 9 =	12
29.	2 + 9 =	11
30.	5 + 10 =	15
31.	5 + 8 =	
32.	9 + 6 =	
33.	6 + 9 =	
34.	7 + 6 =	
35.	6 + 7 =	
36.	8 + 6 =	
37.	6 + 8 =	
38.	8 + 7 =	
39.	7 + 8 =	
40.	6 + 6 =	
41.	7 + 7 =	
42.	8 + 8 =	
43.	9 + 9 =	
44.	4 + 9 =	

B

Respuestas correctas: ________

Mejora: ________

Suma—Cruzando diez.

1.	10 + 1 =	11	23.	5 + 6 =	11
2.	10 + 2 =	12	24.	5 + 7 =	12
3.	10 + 3 =	13	25.	4 + 7 =	11
4.	10 + 9 =	19	26.	4 + 8 =	12
5.	9 + 10 =	19	27.	4 + 10 =	14
6.	9 + 2 =	11	28.	3 + 8 =	11
7.	9 + 3 =	12	29.	3 + 9 =	12
8.	9 + 4 =	13	30.	2 + 9 =	11
9.	9 + 8 =	17	31.	5 + 8 =	13
10.	8 + 9 =	17	32.	7 + 6 =	13
11.	8 + 3 =	11	33.	6 + 7 =	13
12.	8 + 4 =	12	34.	8 + 6 =	14
13.	8 + 5 =	13	35.	6 + 8 =	14
14.	8 + 7 =	15	36.	9 + 6 =	15
15.	7 + 8 =	15	37.	6 + 9 =	
16.	7 + 4 =	11	38.	9 + 7 =	
17.	10 + 4 =	14	39.	7 + 9 =	
18.	6 + 5 =	11	40.	6 + 6 =	
19.	7 + 5 =	12	41.	7 + 7 =	
20.	9 + 5 =	14	42.	8 + 8 =	
21.	5 + 9 =	14	43.	9 + 9 =	
22.	10 + 8 =	18	44.	4 + 9 =	

A

Respuestas correctas: ________

Suma—Cruzando diez

1.	9 + 2 =		23.	4 + 7 =	
2.	9 + 3 =		24.	4 + 8 =	
3.	9 + 4 =		25.	5 + 6 =	
4.	9 + 7 =		26.	5 + 7 =	
5.	7 + 9 =		27.	3 + 8 =	
6.	10 + 1 =		28.	3 + 9 =	
7.	10 + 2 =		29.	2 + 9 =	
8.	10 + 3 =		30.	5 + 10 =	
9.	10 + 8 =		31.	5 + 8 =	
10.	8 + 10 =		32.	9 + 6 =	
11.	8 + 3 =		33.	6 + 9 =	
12.	8 + 4 =		34.	7 + 6 =	
13.	8 + 5 =		35.	6 + 7 =	
14.	8 + 9 =		36.	8 + 6 =	
15.	9 + 8 =		37.	6 + 8 =	
16.	7 + 4 =		38.	8 + 7 =	
17.	10 + 5 =		39.	7 + 8 =	
18.	6 + 5 =		40.	6 + 6 =	
19.	7 + 5 =		41.	7 + 7 =	
20.	9 + 5 =		42.	8 + 8 =	
21.	5 + 9 =		43.	9 + 9 =	
22.	10 + 6 =		44.	4 + 9 =	

B

Respuestas correctas: ________

Mejora: ________

Suma—Cruzando diez

1.	10 + 1 =	
2.	10 + 2 =	
3.	10 + 3 =	
4.	10 + 9 =	
5.	9 + 10 =	
6.	9 + 2 =	
7.	9 + 3 =	
8.	9 + 4 =	
9.	9 + 8 =	
10.	8 + 9 =	
11.	8 + 3 =	
12.	8 + 4 =	
13.	8 + 5 =	
14.	8 + 7 =	
15.	7 + 8 =	
16.	7 + 4 =	
17.	10 + 4 =	
18.	6 + 5 =	
19.	7 + 5 =	
20.	9 + 5 =	
21.	5 + 9 =	
22.	10 + 8 =	

23.	5 + 6 =	
24.	5 + 7 =	
25.	4 + 7 =	
26.	4 + 8 =	
27.	4 + 10 =	
28.	3 + 8 =	
29.	3 + 9 =	
30.	2 + 9 =	
31.	5 + 8 =	
32.	7 + 6 =	
33.	6 + 7 =	
34.	8 + 6 =	
35.	6 + 8 =	
36.	9 + 6 =	
37.	6 + 9 =	
38.	9 + 7 =	
39.	7 + 9 =	
40.	6 + 6 =	
41.	7 + 7 =	
42.	8 + 8 =	
43.	9 + 9 =	
44.	4 + 9 =	

A

Respuestas correctas: ________

Restas

1.	3 - 1 =		23.	7 - 4 =	
2.	13 - 1 =		24.	17 - 4 =	
3.	5 - 1 =		25.	7 - 5 =	
4.	15 - 1 =		26.	17 - 5 =	
5.	7 - 1 =		27.	9 - 5 =	
6.	17 - 1 =		28.	19 - 5 =	
7.	4 - 2 =		29.	7 - 6 =	
8.	14 - 2 =		30.	17 - 6 =	
9.	6 - 2 =		31.	9 - 6 =	
10.	16 - 2 =		32.	19 - 6 =	
11.	8 - 2 =		33.	8 - 7 =	
12.	18 - 2 =		34.	18 - 7 =	
13.	4 - 3 =		35.	9 - 8 =	
14.	14 - 3 =		36.	19 - 8 =	
15.	6 - 3 =		37.	7 - 3 =	
16.	16 - 3 =		38.	17 - 3 =	
17.	8 - 3 =		39.	5 - 4 =	
18.	18 - 3 =		40.	15 - 4 =	
19.	6 - 4 =		41.	8 - 5 =	
20.	16 - 4 =		42.	18 - 5 =	
21.	8 - 4 =		43.	8 - 6 =	
22.	18 - 4 =		44.	18 - 6 =	

B

Respuestas correctas: ________

Mejora: ________

Restas

1.	2 - 1 =	
2.	12 - 1 =	
3.	4 - 1 =	
4.	14 - 1 =	
5.	6 - 1 =	
6.	16 - 1 =	
7.	3 - 2 =	
8.	13 - 2 =	
9.	5 - 2 =	
10.	15 - 2 =	
11.	7 - 2 =	
12.	17 - 2 =	
13.	5 - 3 =	
14.	15 - 3 =	
15.	7 - 3 =	
16.	17 - 3 =	
17.	9 - 3 =	
18.	19 - 3 =	
19.	5 - 4 =	
20.	15 - 4 =	
21.	7 - 4 =	
22.	17 - 4 =	

23.	9 - 4 =	
24.	19 - 4 =	
25.	6 - 5 =	
26.	16 - 5 =	
27.	8 - 5 =	
28.	18 - 5 =	
29.	8 - 6 =	
30.	18 - 6 =	
31.	9 - 6 =	
32.	19 - 6 =	
33.	9 - 7 =	
34.	19 - 7 =	
35.	9 - 8 =	
36.	19 - 8 =	
37.	8 - 3 =	
38.	18 - 3 =	
39.	6 - 4 =	
40.	16 - 4 =	
41.	9 - 5 =	
42.	19 - 5 =	
43.	7 - 6 =	
44.	17 - 6 =	

A

Respuestas correctas: ________

Restas

1.	3 - 1 =	
2.	13 - 1 =	
3.	5 - 1 =	
4.	15 - 1 =	
5.	7 - 1 =	
6.	17 - 1 =	
7.	4 - 2 =	
8.	14 - 2 =	
9.	6 - 2 =	
10.	16 - 2 =	
11.	8 - 2 =	
12.	18 - 2 =	
13.	4 - 3 =	
14.	14 - 3 =	
15.	6 - 3 =	
16.	16 - 3 =	
17.	8 - 3 =	
18.	18 - 3 =	
19.	6 - 4 =	
20.	16 - 4 =	
21.	8 - 4 =	
22.	18 - 4 =	

23.	7 - 4 =	
24.	17 - 4 =	
25.	7 - 5 =	
26.	17 - 5 =	
27.	9 - 5 =	
28.	19 - 5 =	
29.	7 - 6 =	
30.	17 - 6 =	
31.	9 - 6 =	
32.	19 - 6 =	
33.	8 - 7 =	
34.	18 - 7 =	
35.	9 - 8 =	
36.	19 - 8 =	
37.	7 - 3 =	
38.	17 - 3 =	
39.	5 - 4 =	
40.	15 - 4 =	
41.	8 - 5 =	
42.	18 - 5 =	
43.	8 - 6 =	
44.	18 - 6 =	

B

Restas:

Respuestas correctas: ________

Mejora: ________

1.	2 - 1 =	
2.	12 - 1 =	
3.	4 - 1 =	
4.	14 - 1 =	
5.	6 - 1 =	
6.	16 - 1 =	
7.	3 - 2 =	
8.	13 - 2 =	
9.	5 - 2 =	
10.	15 - 2 =	
11.	7 - 2 =	
12.	17 - 2 =	
13.	5 - 3 =	
14.	15 - 3 =	
15.	7 - 3 =	
16.	17 - 3 =	
17.	9 - 3 =	
18.	19 - 3 =	
19.	5 - 4 =	
20.	15 - 4 =	
21.	7 - 4 =	
22.	17 - 4 =	

23.	9 - 4 =	
24.	19 - 4 =	
25.	6 - 5 =	
26.	16 - 5 =	
27.	8 - 5 =	
28.	18 - 5 =	
29.	8 - 6 =	
30.	18 - 6 =	
31.	9 - 6 =	
32.	19 - 6 =	
33.	9 - 7 =	
34.	19 - 7 =	
35.	9 - 8 =	
36.	19 - 8 =	
37.	8 - 3 =	
38.	18 - 3 =	
39.	6 - 4 =	
40.	16 - 4 =	
41.	9 - 5 =	
42.	19 - 5 =	
43.	7 - 6 =	
44.	17 - 6 =	

A

Respuestas correctas: ________

Restas

1.	10 - 5 =	
2.	10 - 0 =	
3.	10 - 1 =	
4.	10 - 9 =	
5.	10 - 8 =	
6.	10 - 2 =	
7.	10 - 3 =	
8.	10 - 7 =	
9.	10 - 6 =	
10.	10 - 4 =	
11.	10 - 8 =	
12.	10 - 3 =	
13.	10 - 6 =	
14.	10 - 9 =	
15.	10 - 0 =	
16.	10 - 5 =	
17.	10 - 7 =	
18.	10 - 2 =	
19.	10 - 4 =	
20.	10 - 1 =	
21.	11 - 1 =	
22.	11 - 2 =	

23.	11 - 3 =	
24.	10 - 9 =	
25.	11 - 9 =	
26.	10 - 5 =	
27.	11 - 5 =	
28.	10 - 7 =	
29.	11 - 7 =	
30.	10 - 8 =	
31.	11 - 8 =	
32.	10 - 6 =	
33.	11 - 6 =	
34.	10 - 4 =	
35.	11 - 4 =	
36.	10 - 9 =	
37.	12 - 9 =	
38.	10 - 5 =	
39.	12 - 5 =	
40.	10 - 7 =	
41.	12 - 7 =	
42.	10 - 8 =	
43.	12 - 8 =	
44.	15 - 9 =	

B

Respuestas correctas: ________

Restas

Mejora: ________

1.	10 - 0 =		23.	11 - 3 =	
2.	10 - 5 =		24.	10 - 5 =	
3.	10 - 9 =		25.	11 - 5 =	
4.	10 - 1 =		26.	10 - 9 =	
5.	10 - 2 =		27.	11 - 9 =	
6.	10 - 8 =		28.	10 - 8 =	
7.	10 - 7 =		29.	11 - 8 =	
8.	10 - 3 =		30.	10 - 7 =	
9.	10 - 4 =		31.	11 - 7 =	
10.	10 - 6 =		32.	10 - 4 =	
11.	10 - 2 =		33.	11 - 4 =	
12.	10 - 7 =		34.	10 - 6 =	
13.	10 - 4 =		35.	11 - 6 =	
14.	10 - 1 =		36.	10 - 5 =	
15.	10 - 0 =		37.	12 - 5 =	
16.	10 - 5 =		38.	10 - 9 =	
17.	10 - 3 =		39.	12 - 9 =	
18.	10 - 8 =		40.	10 - 8 =	
19.	10 - 6 =		41.	12 - 8 =	
20.	10 - 9 =		42.	10 - 7 =	
21.	11 - 1 =		43.	12 - 7 =	
22.	11 - 2 =		44.	14 - 9 =	

2.º grado
Módulo 4

A

Respuestas correctas: ________

Suma y resta de unidades y decenas.

1.	3 + 1 =		23.	50 + 30 =	
2.	30 + 10 =		24.	54 + 30 =	
3.	31 + 10 =		25.	54 + 3 =	
4.	31 + 1 =		26.	50 - 30 =	
5.	3 - 1 =		27.	59 - 30 =	
6.	30 - 10 =		28.	59 - 3 =	
7.	35 - 10 =		29.	67 + 30 =	
8.	35 - 1 =		30.	67 - 30 =	
9.	47 + 10 =		31.	67 - 3 =	
10.	10 - 1 =		32.	40 - 3 =	
11.	80 - 1 =		33.	42 - 3 =	
12.	40 + 20 =		34.	30 + 40 =	
13.	43 + 20 =		35.	32 + 40 =	
14.	43 + 2 =		36.	32 + 4 =	
15.	40 - 20 =		37.	70 - 40 =	
16.	45 - 20 =		38.	76 - 40 =	
17.	45 - 2 =		39.	76 - 4 =	
18.	57 + 2 =		40.	53 + 40 =	
19.	57 - 20 =		41.	53 + 4 =	
20.	10 - 2 =		42.	53 - 40 =	
21.	50 - 2 =		43.	90 - 4 =	
22.	51 - 2 =		44.	92 - 4 =	

B

Respuestas correctas: ________

Suma y resta de unidades y decenas.

Mejora: ________

1.	2 + 1 =		23.	40 + 30 =	
2.	20 + 10 =		24.	45 + 30 =	
3.	21 + 10 =		25.	45 + 3 =	
4.	21 + 1 =		26.	40 - 30 =	
5.	2 - 1 =		27.	49 - 30 =	
6.	20 - 10 =		28.	49 - 3 =	
7.	25 - 10 =		29.	57 + 30 =	
8.	25 - 1 =		30.	57 - 30 =	
9.	37 + 10 =		31.	57 - 3 =	
10.	10 - 1 =		32.	50 - 3 =	
11.	70 - 1 =		33.	52 - 3 =	
12.	50 + 20 =		34.	20 + 40 =	
13.	53 + 20 =		35.	23 + 40 =	
14.	53 + 2 =		36.	23 + 4 =	
15.	50 - 20 =		37.	80 - 40 =	
16.	54 - 20 =		38.	86 - 40 =	
17.	54 - 2 =		39.	86 - 4 =	
18.	64 + 2 =		40.	43 + 40 =	
19.	64 - 20 =		41.	43 + 4 =	
20.	10 - 2 =		42.	63 - 40 =	
21.	60 - 2 =		43.	80 - 4 =	
22.	61 - 2 =		44.	82 - 4 =	

A

Respuestas correctas: 7

Sumar números menores de 10

1.	9 + 1 =	10 ✓	23.	7 + 3 =	
2.	9 + 2 =	12 ✓	24.	7 + 4 =	
3.	9 + 3 =	13 ✓	25.	7 + 5 =	
4.	9 + 9 =	18 ✓	26.	7 + 9 =	
5.	8 + 2 =	10 ✓	27.	6 + 4 =	
6.	8 + 3 =	12 ✓	28.	6 + 5 =	
7.	8 + 4 =	12 ✓	29.	6 + 6 =	
8.	8 + 9 =		30.	6 + 9 =	
9.	9 + 1 =		31.	5 + 5 =	
10.	9 + 4 =		32.	5 + 6 =	
11.	9 + 5 =		33.	5 + 7 =	
12.	9 + 8 =		34.	5 + 9 =	
13.	8 + 2 =		35.	4 + 6 =	
14.	8 + 5 =		36.	4 + 7 =	
15.	8 + 6 =		37.	4 + 9 =	
16.	8 + 8 =		38.	3 + 7 =	
17.	9 + 1 =		39.	3 + 9 =	
18.	9 + 7 =		40.	5 + 8 =	
19.	8 + 2 =		41.	2 + 8 =	
20.	8 + 7 =		42.	4 + 8 =	
21.	9 + 1 =		43.	1 + 9 =	
22.	9 + 6 =		44.	2 + 9 =	

B

Respuestas correctas: ________

Sumar números menores de 10

Mejora: ________

1.	8 + 2 =	10 ✓	23.	7 + 3 =	
2.	8 + 3 =	11 ✓	24.	7 + 4 =	
3.	8 + 4 =	12 ✓	25.	7 + 5 =	
4.	8 + 8 =	16 ✓	26.	7 + 8 =	
5.	9 + 1 =	10 ✓	27.	6 + 4 =	
6.	9 + 2 =	11 ✓	28.	6 + 5 =	
7.	9 + 3 =	12 ✓	29.	6 + 6 =	
8.	9 + 8 =	17 ✓	30.	6 + 8 =	
9.	8 + 2 =	10 ✓	31.	5 + 5 =	
10.	8 + 5 =	13 ✓	32.	5 + 6 =	
11.	8 + 6 =	14 ✓	33.	5 + 7 =	
12.	8 + 9 =	17 ✓	34.	5 + 8 =	
13.	9 + 1 =		35.	4 + 6 =	
14.	9 + 4 =		36.	4 + 7 =	
15.	9 + 5 =		37.	4 + 8 =	
16.	9 + 9 =		38.	3 + 7 =	
17.	9 + 1 =		39.	3 + 9 =	
18.	9 + 7 =		40.	5 + 9 =	
19.	8 + 2 =		41.	2 + 8 =	
20.	8 + 7 =		42.	4 + 9 =	
21.	9 + 1 =		43.	1 + 9 =	
22.	9 + 6 =		44.	2 + 9 =	

A

Respuestas correctas: ______

Resta de números del 11 al 19

1.	11 - 10 =		23.	19 - 9 =	
2.	12 - 10 =		24.	15 - 6 =	
3.	13 - 10 =		25.	15 - 7 =	
4.	19 - 10 =		26.	15 - 9 =	
5.	11 - 1 =		27.	20 - 10 =	
6.	12 - 2 =		28.	14 - 5 =	
7.	13 - 3 =		29.	14 - 6 =	
8.	17 - 7 =		30.	14 - 7 =	
9.	11 - 2 =		31.	14 - 9 =	
10.	11 - 3 =		32.	15 - 5 =	
11.	11 - 4 =		33.	17 - 8 =	
12.	11 - 8 =		34.	17 - 9 =	
13.	18 - 8 =		35.	18 - 8 =	
14.	13 - 4 =		36.	16 - 7 =	
15.	13 - 5 =		37.	16 - 8 =	
16.	13 - 6 =		38.	16 - 9 =	
17.	13 - 8 =		39.	17 - 10 =	
18.	16 - 6 =		40.	12 - 8 =	
19.	12 - 3 =		41.	18 - 9 =	
20.	12 - 4 =		42.	11 - 9 =	
21.	12 - 5 =		43.	15 - 8 =	
22.	12 - 9 =		44.	13 - 7 =	

B

Respuestas correctas: ________

Resta de números del 11 al 19

Mejora: ________

1.	11 - 1 =	
2.	12 - 2 =	
3.	13 - 3 =	
4.	18 - 8 =	
5.	11 - 10 =	
6.	12 - 10 =	
7.	13 - 10 =	
8.	18 - 10 =	
9.	11 - 2 =	
10.	11 - 3 =	
11.	11 - 4 =	
12.	11 - 7 =	
13.	19 - 9 =	
14.	12 - 3 =	
15.	12 - 4 =	
16.	12 - 5 =	
17.	12 - 8 =	
18.	17 - 7 =	
19.	13 - 4 =	
20.	13 - 5 =	
21.	13 - 6 =	
22.	13 - 9 =	

23.	16 - 6 =	
24.	14 - 5 =	
25.	14 - 6 =	
26.	14 - 7 =	
27.	14 - 9 =	
28.	20 - 10 =	
29.	15 - 6 =	
30.	15 - 7 =	
31.	15 - 9 =	
32.	14 - 4 =	
33.	16 - 7 =	
34.	16 - 8 =	
35.	16 - 9 =	
36.	20 - 10 =	
37.	17 - 8 =	
38.	17 - 9 =	
39.	16 - 10 =	
40.	18 - 9 =	
41.	12 - 9 =	
42.	13 - 7 =	
43.	11 - 8 =	
44.	15 - 8 =	

A

Respuestas correctas: ______

Patrones de resta

1.	10 - 5 =		23.	14 - 6 =	
2.	20 - 5 =		24.	24 - 6 =	
3.	30 - 5 =		25.	34 - 6 =	
4.	10 - 2 =		26.	15 - 7 =	
5.	20 - 2 =		27.	25 - 7 =	
6.	30 - 2 =		28.	35 - 7 =	
7.	11 - 2 =		29.	11 - 4 =	
8.	21 - 2 =		30.	21 - 4 =	
9.	31 - 2 =		31.	31 - 4 =	
10.	10 - 8 =		32.	12 - 6 =	
11.	11 - 8 =		33.	22 - 6 =	
12.	21 - 8 =		34.	32 - 6 =	
13.	31 - 8 =		35.	21 - 6 =	
14.	14 - 5 =		36.	31 - 6 =	
15.	24 - 5 =		37.	12 - 8 =	
16.	34 - 5 =		38.	32 - 8 =	
17.	15 - 6 =		39.	21 - 8 =	
18.	25 - 6 =		40.	31 - 8 =	
19.	35 - 6 =		41.	28 - 9 =	
20.	10 - 7 =		42.	27 - 8 =	
21.	20 - 8 =		43.	38 - 9 =	
22.	30 - 9 =		44.	37 - 8 =	

B

Respuestas correctas: ______

Patrones de resta

Mejora: ______

1.	10 - 1 =		23.	13 - 5 =	
2.	20 - 1 =		24.	23 - 5 =	
3.	30 - 1 =		25.	33 - 5 =	
4.	10 - 3 =		26.	16 - 8 =	
5.	20 - 3 =		27.	26 - 8 =	
6.	30 - 3 =		28.	36 - 8 =	
7.	12 - 3 =		29.	12 - 5 =	
8.	22 - 3 =		30.	22 - 5 =	
9.	32 - 3 =		31.	32 - 5 =	
10.	10 - 9 =		32.	11 - 5 =	
11.	11 - 9 =		33.	21 - 5 =	
12.	21 - 9 =		34.	31 - 5 =	
13.	31 - 9 =		35.	12 - 7 =	
14.	13 - 4 =		36.	22 - 7 =	
15.	23 - 4 =		37.	11 - 7 =	
16.	33 - 4 =		38.	31 - 7 =	
17.	16 - 7 =		39.	22 - 9 =	
18.	26 - 7 =		40.	32 - 9 =	
19.	36 - 7 =		41.	38 - 9 =	
20.	10 - 6 =		42.	37 - 8 =	
21.	20 - 7 =		43.	28 - 9 =	
22.	30 - 8 =		44.	27 - 8 =	

A

Respuestas correctas: ______

Resta de dos dígitos

1.	53 - 2 =	
2.	65 - 3 =	
3.	77 - 4 =	
4.	89 - 5 =	
5.	99 - 6 =	
6.	28 - 7 =	
7.	39 - 8 =	
8.	31 - 2 =	
9.	41 - 3 =	
10.	51 - 4 =	
11.	61 - 5 =	
12.	30 - 9 =	
13.	40 - 8 =	
14.	50 - 7 =	
15.	60 - 6 =	
16.	40 - 30 =	
17.	41 - 30 =	
18.	40 - 20 =	
19.	42 - 20 =	
20.	80 - 50 =	
21.	85 - 50 =	
22.	80 - 40 =	

23.	84 - 40 =	
24.	80 - 50 =	
25.	86 - 50 =	
26.	70 - 60 =	
27.	77 - 60 =	
28.	80 - 70 =	
29.	88 - 70 =	
30.	48 - 4 =	
31.	80 - 40 =	
32.	81 - 40 =	
33.	46 - 3 =	
34.	60 - 30 =	
35.	68 - 30 =	
36.	67 - 4 =	
37.	67 - 40 =	
38.	89 - 6 =	
39.	89 - 60 =	
40.	76 - 2 =	
41.	76 - 20 =	
42.	54 - 6 =	
43.	65 - 8 =	
44.	87 - 9 =	

B

Respuestas correctas: ________

Resta de dos dígitos

Mejora: ________

1.	43 - 2 =	
2.	55 - 3 =	
3.	67 - 4 =	
4.	79 - 5 =	
5.	89 - 6 =	
6.	98 - 7 =	
7.	29 - 8 =	
8.	21 - 2 =	
9.	31 - 3 =	
10.	41 - 4 =	
11.	51 - 5 =	
12.	20 - 9 =	
13.	30 - 8 =	
14.	40 - 7 =	
15.	50 - 6 =	
16.	30 - 20 =	
17.	31 - 20 =	
18.	50 - 30 =	
19.	52 - 30 =	
20.	70 - 40 =	
21.	75 - 40 =	
22.	90 - 50 =	

23.	94 - 50 =	
24.	90 - 60 =	
25.	96 - 60 =	
26.	80 - 70 =	
27.	87 - 70 =	
28.	90 - 80 =	
29.	98 - 80 =	
30.	39 - 4 =	
31.	90 - 40 =	
32.	91 - 40 =	
33.	47 - 3 =	
34.	70 - 30 =	
35.	78 - 30 =	
36.	68 - 4 =	
37.	68 - 40 =	
38.	89 - 7 =	
39.	89 - 70 =	
40.	56 - 2 =	
41.	56 - 20 =	
42.	34 - 6 =	
43.	45 - 8 =	
44.	57 - 9 =	

A

Respuestas correctas: ________

Suma cruzando una decena

1.	38 + 1 =		23.	85 + 7 =	
2.	47 + 2 =		24.	85 + 9 =	
3.	56 + 3 =		25.	76 + 4 =	
4.	65 + 4 =		26.	76 + 5 =	
5.	31 + 8 =		27.	76 + 6 =	
6.	42 + 7 =		28.	76 + 9 =	
7.	53 + 6 =		29.	64 + 6 =	
8.	64 + 5 =		30.	64 + 7 =	
9.	49 + 1 =		31.	76 + 8 =	
10.	49 + 2 =		32.	43 + 7 =	
11.	49 + 3 =		33.	43 + 8 =	
12.	49 + 5 =		34.	43 + 9 =	
13.	58 + 2 =		35.	52 + 8 =	
14.	58 + 3 =		36.	52 + 9 =	
15.	58 + 4 =		37.	59 + 1 =	
16.	58 + 6 =		38.	59 + 3 =	
17.	67 + 3 =		39.	58 + 2 =	
18.	57 + 4 =		40.	58 + 4 =	
19.	57 + 5 =		41.	77 + 3 =	
20.	57 + 7 =		42.	77 + 5 =	
21.	85 + 5 =		43.	35 + 5 =	
22.	85 + 6 =		44.	35 + 8 =	

B

Respuestas correctas: ________

Suma cruzando una decena

Mejora: ________

1.	28 + 1 =		23.	75 + 7 =	
2.	37 + 2 =		24.	75 + 9 =	
3.	46 + 3 =		25.	66 + 4 =	
4.	55 + 4 =		26.	66 + 5 =	
5.	21 + 8 =		27.	66 + 6 =	
6.	32 + 7 =		28.	66 + 9 =	
7.	43 + 6 =		29.	54 + 6 =	
8.	54 + 5 =		30.	54 + 7 =	
9.	39 + 1 =		31.	54 + 8 =	
10.	39 + 2 =		32.	33 + 7 =	
11.	39 + 3 =		33.	33 + 8 =	
12.	39 + 5 =		34.	33 + 9 =	
13.	48 + 2 =		35.	42 + 8 =	
14.	48 + 3 =		36.	42 + 9 =	
15.	48 + 4 =		37.	49 + 1 =	
16.	48 + 6 =		38.	49 + 3 =	
17.	57 + 3 =		39.	58 + 2 =	
18.	57 + 4 =		40.	58 + 4 =	
19.	57 + 5 =		41.	67 + 3 =	
20.	57 + 7 =		42.	67 + 5 =	
21.	75 + 5 =		43.	85 + 5 =	
22.	75 + 6 =		44.	85 + 8 =	

EUREKA MATH Lección 18: Usar materiales didácticos para representar sumas con dos composiciones. 129

© 2019 Great Minds®. eureka-math.org

A

Respuestas correctas: ________

Suma cruzando una decena

1.	38 + 1 =		23.	85 + 7 =	
2.	47 + 2 =		24.	85 + 9 =	
3.	56 + 3 =		25.	76 + 4 =	
4.	65 + 4 =		26.	76 + 5 =	
5.	31 + 8 =		27.	76 + 6 =	
6.	42 + 7 =		28.	76 + 9 =	
7.	53 + 6 =		29.	64 + 6 =	
8.	64 + 5 =		30.	64 + 7 =	
9.	49 + 1 =		31.	76 + 8 =	
10.	49 + 2 =		32.	43 + 7 =	
11.	49 + 3 =		33.	43 + 8 =	
12.	49 + 5 =		34.	43 + 9 =	
13.	58 + 2 =		35.	52 + 8 =	
14.	58 + 3 =		36.	52 + 9 =	
15.	58 + 4 =		37.	59 + 1 =	
16.	58 + 6 =		38.	59 + 3 =	
17.	67 + 3 =		39.	58 + 2 =	
18.	57 + 4 =		40.	58 + 4 =	
19.	57 + 5 =		41.	77 + 3 =	
20.	57 + 7 =		42.	77 + 5 =	
21.	85 + 5 =		43.	35 + 5 =	
22.	85 + 6 =		44.	35 + 8 =	

EUREKA MATH

Lección 20: Usar dibujos matemáticos para representar sumas con hasta dos composiciones y relacionar los dibujos a un método escrito.

131

B

Respuestas correctas: ______

Suma cruzando una decena

Mejora: ______

1.	28 + 1 =	
2.	37 + 2 =	
3.	46 + 3 =	
4.	55 + 4 =	
5.	21 + 8 =	
6.	32 + 7 =	
7.	43 + 6 =	
8.	54 + 5 =	
9.	39 + 1 =	
10.	39 + 2 =	
11.	39 + 3 =	
12.	39 + 5 =	
13.	48 + 2 =	
14.	48 + 3 =	
15.	48 + 4 =	
16.	48 + 6 =	
17.	57 + 3 =	
18.	57 + 4 =	
19.	57 + 5 =	
20.	57 + 7 =	
21.	75 + 5 =	
22.	75 + 6 =	

23.	75 + 7 =	
24.	75 + 9 =	
25.	66 + 4 =	
26.	66 + 5 =	
27.	66 + 6 =	
28.	66 + 9 =	
29.	54 + 6 =	
30.	54 + 7 =	
31.	54 + 8 =	
32.	33 + 7 =	
33.	33 + 8 =	
34.	33 + 9 =	
35.	42 + 8 =	
36.	42 + 9 =	
37.	49 + 1 =	
38.	49 + 3 =	
39.	58 + 2 =	
40.	58 + 4 =	
41.	67 + 3 =	
42.	67 + 5 =	
43.	85 + 5 =	
44.	85 + 8 =	

A

Respuestas correctas: ______

Patrones de resta

1.	10 - 1 =	
2.	10 - 2 =	
3.	20 - 2 =	
4.	40 - 2 =	
5.	10 - 2 =	
6.	11 - 2 =	
7.	21 - 2 =	
8.	51 - 2 =	
9.	10 - 3 =	
10.	11 - 3 =	
11.	21 - 3 =	
12.	61 - 3 =	
13.	10 - 4 =	
14.	11 - 4 =	
15.	21 - 4 =	
16.	71 - 4 =	
17.	10 - 5 =	
18.	11 - 5 =	
19.	21 - 5 =	
20.	81 - 5 =	
21.	10 - 6 =	
22.	11 - 6 =	

23.	21 - 6 =	
24.	91 - 6 =	
25.	10 - 7 =	
26.	11 - 7 =	
27.	31 - 7 =	
28.	10 - 8 =	
29.	11 - 8 =	
30.	41 - 8 =	
31.	10 - 9 =	
32.	11 - 9 =	
33.	51 - 9 =	
34.	12 - 3 =	
35.	82 - 3 =	
36.	13 - 5 =	
37.	73 - 5 =	
38.	14 - 6 =	
39.	84 - 6 =	
40.	15 - 8 =	
41.	95 - 8 =	
42.	16 - 7 =	
43.	46 - 7 =	
44.	68 - 9 =	

B

Respuestas correctas: ______

Patrones de resta

Mejora: ______

1.	10 - 2 =	
2.	20 - 2 =	
3.	30 - 2 =	
4.	50 - 2 =	
5.	10 - 2 =	
6.	11 - 2 =	
7.	21 - 2 =	
8.	61 - 2 =	
9.	10 - 3 =	
10.	11 - 3 =	
11.	21 - 3 =	
12.	71 - 3 =	
13.	10 - 4 =	
14.	11 - 4 =	
15.	21 - 4 =	
16.	81 - 4 =	
17.	10 - 5 =	
18.	11 - 5 =	
19.	21 - 5 =	
20.	91 - 5 =	
21.	10 - 6 =	
22.	11 - 6 =	

23.	21 - 6 =	
24.	41 - 6 =	
25.	10 - 7 =	
26.	11 - 7 =	
27.	51 - 7 =	
28.	10 - 8 =	
29.	11 - 8 =	
30.	61 - 8 =	
31.	10 - 9 =	
32.	11 - 9 =	
33.	31 - 9 =	
34.	12 - 3 =	
35.	92 - 3 =	
36.	13 - 5 =	
37.	43 - 5 =	
38.	14 - 6 =	
39.	64 - 6 =	
40.	15 - 8 =	
41.	85 - 8 =	
42.	16 - 7 =	
43.	76 - 7 =	
44.	58 - 9 =	

A

Respuestas correctas: ______

Patrones de resta

1.	30 - 1 =	
2.	40 - 2 =	
3.	50 - 3 =	
4.	50 - 4 =	
5.	50 - 5 =	
6.	50 - 9 =	
7.	51 - 9 =	
8.	61 - 9 =	
9.	81 - 9 =	
10.	82 - 9 =	
11.	92 - 9 =	
12.	93 - 9 =	
13.	93 - 8 =	
14.	83 - 8 =	
15.	33 - 8 =	
16.	33 - 7 =	
17.	43 - 7 =	
18.	53 - 6 =	
19.	63 - 6 =	
20.	63 - 5 =	
21.	73 - 5 =	
22.	93 - 5 =	

23.	31 - 2 =	
24.	31 - 3 =	
25.	31 - 4 =	
26.	41 - 4 =	
27.	51 - 5 =	
28.	61 - 6 =	
29.	71 - 7 =	
30.	81 - 8 =	
31.	82 - 8 =	
32.	82 - 7 =	
33.	82 - 6 =	
34.	82 - 3 =	
35.	34 - 5 =	
36.	45 - 6 =	
37.	56 - 7 =	
38.	67 - 8 =	
39.	78 - 9 =	
40.	77 - 9 =	
41.	64 - 6 =	
42.	24 - 8 =	
43.	35 - 8 =	
44.	36 - 8 =	

B

Respuestas correctas: ______

Patrones de resta

Mejora: ______

1.	20 - 1 =	
2.	30 - 2 =	
3.	40 - 3 =	
4.	40 - 4 =	
5.	40 - 5 =	
6.	40 - 9 =	
7.	41 - 9 =	
8.	51 - 9 =	
9.	71 - 9 =	
10.	72 - 9 =	
11.	82 - 9 =	
12.	83 - 9 =	
13.	83 - 8 =	
14.	93 - 8 =	
15.	23 - 8 =	
16.	23 - 7 =	
17.	33 - 7 =	
18.	43 - 6 =	
19.	53 - 6 =	
20.	53 - 5 =	
21.	63 - 5 =	
22.	83 - 5 =	

23.	21 - 2 =	
24.	21 - 3 =	
25.	21 - 4 =	
26.	31 - 4 =	
27.	41 - 5 =	
28.	51 - 6 =	
29.	61 - 7 =	
30.	71 - 8 =	
31.	72 - 8 =	
32.	72 - 7 =	
33.	72 - 6 =	
34.	72 - 3 =	
35.	24 - 5 =	
36.	35 - 6 =	
37.	46 - 7 =	
38.	57 - 8 =	
39.	68 - 9 =	
40.	67 - 9 =	
41.	54 - 6 =	
42.	24 - 9 =	
43.	35 - 9 =	
44.	46 - 9 =	

A

Respuestas correctas: ______

Restarle a una decena o a cien

1.	10 - 1 =	
2.	100 - 10 =	
3.	90 - 1 =	
4.	100 - 11 =	
5.	10 - 2 =	
6.	100 - 20 =	
7.	80 - 1 =	
8.	100 - 21 =	
9.	10 - 5 =	
10.	100 - 50 =	
11.	50 - 2 =	
12.	100 - 52 =	
13.	10 - 4 =	
14.	100 - 40 =	
15.	60 - 1 =	
16.	100 - 41 =	
17.	10 - 3 =	
18.	100 - 30 =	
19.	70 - 5 =	
20.	100 - 35 =	
21.	100 - 80 =	
22.	100 - 81 =	

23.	100 - 82 =	
24.	100 - 85 =	
25.	100 - 15 =	
26.	100 - 70 =	
27.	100 - 71 =	
28.	100 - 72 =	
29.	100 - 75 =	
30.	100 - 25 =	
31.	100 - 10 =	
32.	100 - 11 =	
33.	100 - 12 =	
34.	100 - 18 =	
35.	100 - 82 =	
36.	100 - 60 =	
37.	100 - 6 =	
38.	100 - 70 =	
39.	100 - 7 =	
40.	100 - 43 =	
41.	100 - 8 =	
42.	100 - 59 =	
43.	100 - 4 =	
44.	100 - 68 =	

B

Respuestas correctas: ______

Restarle a una decena o a cien

Mejora: ______

1.	10 - 5 =	
2.	100 - 50 =	
3.	50 - 1 =	
4.	100 - 51 =	
5.	10 - 2 =	
6.	100 - 20 =	
7.	80 - 1 =	
8.	100 - 21 =	
9.	10 - 1 =	
10.	100 - 10 =	
11.	90 - 2 =	
12.	100 - 12 =	
13.	10 - 3 =	
14.	100 - 30 =	
15.	70 - 1 =	
16.	100 - 31 =	
17.	10 - 4 =	
18.	100 - 40 =	
19.	60 - 5 =	
20.	100 - 45 =	
21.	100 - 70 =	
22.	100 - 71 =	

23.	100 - 72 =	
24.	100 - 75 =	
25.	100 - 25 =	
26.	100 - 80 =	
27.	100 - 81 =	
28.	100 - 82 =	
29.	100 - 85 =	
30.	100 - 15 =	
31.	100 - 10 =	
32.	100 - 11 =	
33.	100 - 12 =	
34.	100 - 17 =	
35.	100 - 83 =	
36.	100 - 70 =	
37.	100 - 7 =	
38.	100 - 60 =	
39.	100 - 6 =	
40.	100 - 42 =	
41.	100 - 4 =	
42.	100 - 58 =	
43.	100 - 8 =	
44.	100 - 67 =	

A

Respuestas correctas: ______

Resta cruzando una decena

1.	30 - 1 =	
2.	40 - 2 =	
3.	50 - 3 =	
4.	50 - 4 =	
5.	50 - 5 =	
6.	50 - 9 =	
7.	51 - 9 =	
8.	61 - 9 =	
9.	81 - 9 =	
10.	82 - 9 =	
11.	92 - 9 =	
12.	93 - 9 =	
13.	93 - 8 =	
14.	83 - 8 =	
15.	33 - 8 =	
16.	33 - 7 =	
17.	43 - 7 =	
18.	53 - 6 =	
19.	63 - 6 =	
20.	63 - 5 =	
21.	73 - 5 =	
22.	93 - 5 =	

23.	31 - 2 =	
24.	31 - 3 =	
25.	31 - 4 =	
26.	41 - 4 =	
27.	51 - 5 =	
28.	61 - 6 =	
29.	71 - 7 =	
30.	81 - 8 =	
31.	82 - 8 =	
32.	82 - 7 =	
33.	82 - 6 =	
34.	82 - 3 =	
35.	34 - 5 =	
36.	45 - 6 =	
37.	56 - 7 =	
38.	67 - 8 =	
39.	78 - 9 =	
40.	77 - 9 =	
41.	64 - 6 =	
42.	24 - 8 =	
43.	35 - 8 =	
44.	36 - 8 =	

B

Respuestas correctas: ______

Resta cruzando una decena

Mejora: ______

1.	20 - 1 =	
2.	30 - 2 =	
3.	40 - 3 =	
4.	40 - 4 =	
5.	40 - 5 =	
6.	40 - 9 =	
7.	41 - 9 =	
8.	51 - 9 =	
9.	71 - 9 =	
10.	72 - 9 =	
11.	82 - 9 =	
12.	83 - 9 =	
13.	83 - 8 =	
14.	93 - 8 =	
15.	23 - 8 =	
16.	23 - 7 =	
17.	33 - 7 =	
18.	43 - 6 =	
19.	53 - 6 =	
20.	53 - 5 =	
21.	63 - 5 =	
22.	83 - 5 =	

23.	21 - 2 =	
24.	21 - 3 =	
25.	21 - 4 =	
26.	31 - 4 =	
27.	41 - 5 =	
28.	51 - 6 =	
29.	61 - 7 =	
30.	71 - 8 =	
31.	72 - 8 =	
32.	72 - 7 =	
33.	72 - 6 =	
34.	72 - 3 =	
35.	24 - 5 =	
36.	35 - 6 =	
37.	46 - 7 =	
38.	57 - 8 =	
39.	68 - 9 =	
40.	67 - 9 =	
41.	54 - 6 =	
42.	24 - 9 =	
43.	35 - 9 =	
44.	46 - 9 =	

2.º grado
Módulo 5

A

Respuestas correctas: 11

Suma múltiplos de diez y algunas unidades

1.	40 + 3 =	43 ✓	23.	45 + 44 =	
2.	40 + 8 =	48 ✓	24.	44 + 45 =	
3.	40 + 9 =	49 ✓	25.	30 + 20 =	
4.	40 + 10 =	50 ✓	26.	34 + 20 =	
5.	41 + 10 =	51 ✓	27.	34 + 21 =	
6.	42 + 10 =	52 ✓	28.	34 + 25 =	
7.	45 + 10 =	55 ✓	29.	34 + 52 =	
8.	45 + 11 =	56 ✓	30.	50 + 30 =	
9.	45 + 12 =	57 ✓	31.	56 + 30 =	
10.	44 + 12 =	56 ✓	32.	56 + 31 =	
11.	43 + 12 =	55 ✓	33.	56 + 32 =	
12.	43 + 13 =		34.	32 + 56 =	
13.	13 + 43 =		35.	23 + 56 =	
14.	40 + 20 =		36.	24 + 75 =	
15.	41 + 20 =		37.	16 + 73 =	
16.	42 + 20 =		38.	34 + 54 =	
17.	47 + 20 =		39.	62 + 37 =	
18.	47 + 30 =		40.	45 + 34 =	
19.	47 + 40 =		41.	27 + 61 =	
20.	47 + 41 =		42.	16 + 72 =	
21.	47 + 42 =		43.	36 + 42 =	
22.	45 + 42 =		44.	32 + 54 =	

A

Respuestas correctas: ______

Resta múltiplos de diez y algunas unidades

1.	33 - 22 =	
2.	44 - 33 =	
3.	55 - 44 =	
4.	99 - 88 =	
5.	33 - 11 =	
6.	44 - 22 =	
7.	55 - 33 =	
8.	88 - 22 =	
9.	66 - 22 =	
10.	43 - 11 =	
11.	34 - 11 =	
12.	45 - 11 =	
13.	46 - 12 =	
14.	55 - 12 =	
15.	54 - 12 =	
16.	55 - 21 =	
17.	64 - 21 =	
18.	63 - 21 =	
19.	45 - 21 =	
20.	34 - 12 =	
21.	43 - 21 =	
22.	54 - 32 =	

23.	99 - 32 =	
24.	86 - 32 =	
25.	79 - 32 =	
26.	79 - 23 =	
27.	68 - 13 =	
28.	69 - 23 =	
29.	89 - 14 =	
30.	77 - 12 =	
31.	57 - 12 =	
32.	77 - 32 =	
33.	99 - 36 =	
34.	88 - 25 =	
35.	89 - 36 =	
36.	98 - 16 =	
37.	78 - 26 =	
38.	99 - 37 =	
39.	89 - 38 =	
40.	59 - 28 =	
41.	99 - 58 =	
42.	99 - 45 =	
43.	78 - 43 =	
44.	98 - 73 =	

B

Respuestas correctas: ________

Resta múltiplos de diez y algunas unidades

Mejora: ________

1.	33 - 11 =	
2.	44 - 11 =	
3.	55 - 11 =	
4.	88 - 11 =	
5.	33 - 22 =	
6.	44 - 22 =	
7.	55 - 22 =	
8.	99 - 22 =	
9.	77 - 22 =	
10.	34 - 11 =	
11.	43 - 11 =	
12.	54 - 11 =	
13.	55 - 12 =	
14.	46 - 12 =	
15.	44 - 12 =	
16.	64 - 21 =	
17.	55 - 21 =	
18.	53 - 21 =	
19.	44 - 21 =	
20.	34 - 22 =	
21.	43 - 22 =	
22.	54 - 22 =	

23.	99 - 42 =	
24.	79 - 32 =	
25.	89 - 52 =	
26.	99 - 23 =	
27.	79 - 13 =	
28.	79 - 23 =	
29.	99 - 14 =	
30.	87 - 12 =	
31.	77 - 12 =	
32.	87 - 32 =	
33.	99 - 36 =	
34.	78 - 25 =	
35.	79 - 36 =	
36.	88 - 16 =	
37.	88 - 26 =	
38.	89 - 37 =	
39.	99 - 38 =	
40.	69 - 28 =	
41.	89 - 58 =	
42.	99 - 45 =	
43.	68 - 43 =	
44.	98 - 72 =	

A

Respuestas correctas: ________

Suma de dos dígitos

1.	38 + 1 =		23.	85 + 7 =	
2.	47 + 2 =		24.	85 + 9 =	
3.	56 + 3 =		25.	76 + 4 =	
4.	65 + 4 =		26.	76 + 5 =	
5.	31 + 8 =		27.	76 + 6 =	
6.	42 + 7 =		28.	76 + 9 =	
7.	53 + 6 =		29.	64 + 6 =	
8.	64 + 5 =		30.	64 + 7 =	
9.	49 + 1 =		31.	76 + 8 =	
10.	49 + 2 =		32.	43 + 7 =	
11.	49 + 3 =		33.	43 + 8 =	
12.	49 + 5 =		34.	43 + 9 =	
13.	58 + 2 =		35.	52 + 8 =	
14.	58 + 3 =		36.	52 + 9 =	
15.	58 + 4 =		37.	59 + 1 =	
16.	58 + 6 =		38.	59 + 3 =	
17.	67 + 3 =		39.	58 + 2 =	
18.	57 + 4 =		40.	58 + 4 =	
19.	57 + 5 =		41.	77 + 3 =	
20.	57 + 7 =		42.	77 + 5 =	
21.	85 + 5 =		43.	35 + 5 =	
22.	85 + 6 =		44.	35 + 8 =	

B

Respuestas correctas: ________

Mejora: ________

Suma de dos dígitos

1.	28 + 1 =	
2.	37 + 2 =	
3.	46 + 3 =	
4.	55 + 4 =	
5.	21 + 8 =	
6.	32 + 7 =	
7.	43 + 6 =	
8.	54 + 5 =	
9.	39 + 1 =	
10.	39 + 2 =	
11.	39 + 3 =	
12.	39 + 5 =	
13.	48 + 2 =	
14.	48 + 3 =	
15.	48 + 4 =	
16.	48 + 6 =	
17.	57 + 3 =	
18.	57 + 4 =	
19.	57 + 5 =	
20.	57 + 7 =	
21.	75 + 5 =	
22.	75 + 6 =	

23.	75 + 7 =	
24.	75 + 9 =	
25.	66 + 4 =	
26.	66 + 5 =	
27.	66 + 6 =	
28.	66 + 9 =	
29.	54 + 6 =	
30.	54 + 7 =	
31.	54 + 8 =	
32.	33 + 7 =	
33.	33 + 8 =	
34.	33 + 9 =	
35.	42 + 8 =	
36.	42 + 9 =	
37.	49 + 1 =	
38.	49 + 3 =	
39.	58 + 2 =	
40.	58 + 4 =	
41.	67 + 3 =	
42.	67 + 5 =	
43.	85 + 5 =	
44.	85 + 8 =	

A

Respuestas correctas: ________

Suma cruzando decenas

1.	8 + 2 =	
2.	18 + 2 =	
3.	38 + 2 =	
4.	7 + 3 =	
5.	17 + 3 =	
6.	37 + 3 =	
7.	8 + 3 =	
8.	18 + 3 =	
9.	28 + 3 =	
10.	6 + 5 =	
11.	16 + 5 =	
12.	26 + 5 =	
13.	18 + 4 =	
14.	28 + 4 =	
15.	16 + 6 =	
16.	26 + 6 =	
17.	18 + 5 =	
18.	28 + 5 =	
19.	16 + 7 =	
20.	26 + 7 =	
21.	19 + 2 =	
22.	17 + 4 =	

23.	18 + 6 =	
24.	28 + 6 =	
25.	16 + 8 =	
26.	26 + 8 =	
27.	18 + 7 =	
28.	18 + 8 =	
29.	28 + 7 =	
30.	28 + 8 =	
31.	15 + 9 =	
32.	16 + 9 =	
33.	25 + 9 =	
34.	26 + 9 =	
35.	14 + 7 =	
36.	16 + 6 =	
37.	15 + 8 =	
38.	23 + 8 =	
39.	25 + 7 =	
40.	15 + 7 =	
41.	24 + 7 =	
42.	14 + 9 =	
43.	19 + 8 =	
44.	28 + 9 =	

B

Respuestas correctas: ________

Suma cruzando decenas

Mejora: ________

1.	9 + 1 =	
2.	19 + 1 =	
3.	39 + 1 =	
4.	6 + 4 =	
5.	16 + 4 =	
6.	36 + 4 =	
7.	9 + 2 =	
8.	19 + 2 =	
9.	29 + 2 =	
10.	7 + 4 =	
11.	17 + 4 =	
12.	27 + 4 =	
13.	19 + 3 =	
14.	29 + 3 =	
15.	17 + 5 =	
16.	27 + 5 =	
17.	19 + 4 =	
18.	29 + 4 =	
19.	17 + 6 =	
20.	27 + 6 =	
21.	18 + 3 =	
22.	26 + 5 =	

23.	19 + 5 =	
24.	29 + 5 =	
25.	17 + 7 =	
26.	27 + 7 =	
27.	19 + 6 =	
28.	19 + 7 =	
29.	29 + 6 =	
30.	29 + 7 =	
31.	17 + 8 =	
32.	17 + 9 =	
33.	27 + 8 =	
34.	27 + 9 =	
35.	12 + 9 =	
36.	14 + 8 =	
37.	16 + 7 =	
38.	28 + 6 =	
39.	26 + 8 =	
40.	24 + 8 =	
41.	13 + 8 =	
42.	24 + 9 =	
43.	29 + 8 =	
44.	18 + 9 =	

A

Respuestas correctas: ________

Usa la compensación para sumar

1.	98 + 3 =	
2.	98 + 4 =	
3.	98 + 5 =	
4.	98 + 8 =	
5.	98 + 6 =	
6.	98 + 9 =	
7.	98 + 7 =	
8.	99 + 2 =	
9.	99 + 3 =	
10.	99 + 4 =	
11.	99 + 9 =	
12.	99 + 6 =	
13.	99 + 8 =	
14.	99 + 5 =	
15.	99 + 7 =	
16.	98 + 13 =	
17.	98 + 24 =	
18.	98 + 35 =	
19.	98 + 46 =	
20.	98 + 57 =	
21.	98 + 68 =	
22.	98 + 79 =	

23.	99 + 12 =	
24.	99 + 23 =	
25.	99 + 34 =	
26.	99 + 45 =	
27.	99 + 56 =	
28.	99 + 67 =	
29.	99 + 78 =	
30.	35 + 99 =	
31.	45 + 98 =	
32.	46 + 99 =	
33.	56 + 98 =	
34.	67 + 99 =	
35.	77 + 98 =	
36.	68 + 99 =	
37.	78 + 98 =	
38.	99 + 95 =	
39.	93 + 99 =	
40.	99 + 95 =	
41.	94 + 99 =	
42.	98 + 96 =	
43.	94 + 98 =	
44.	98 + 88 =	

B

Respuestas correctas: ________

Usa la compensación para sumar

Mejora: ________

1.	99 + 2 =	
2.	99 + 3 =	
3.	99 + 4 =	
4.	99 + 8 =	
5.	99 + 6 =	
6.	99 + 9 =	
7.	99 + 5 =	
8.	99 + 7 =	
9.	98 + 3 =	
10.	98 + 4 =	
11.	98 + 5 =	
12.	98 + 9 =	
13.	98 + 7 =	
14.	98 + 8 =	
15.	98 + 6 =	
16.	99 + 12 =	
17.	99 + 23 =	
18.	99 + 34 =	
19.	99 + 45 =	
20.	99 + 56 =	
21.	99 + 67 =	
22.	99 + 78 =	

23.	98 + 13 =	
24.	98 + 24 =	
25.	98 + 35 =	
26.	98 + 46 =	
27.	98 + 57 =	
28.	98 + 68 =	
29.	98 + 79 =	
30.	25 + 99 =	
31.	35 + 98 =	
32.	36 + 99 =	
33.	46 + 98 =	
34.	57 + 99 =	
35.	67 + 98 =	
36.	78 + 99 =	
37.	88 + 98 =	
38.	99 + 93 =	
39.	95 + 99 =	
40.	99 + 97 =	
41.	92 + 99 =	
42.	98 + 94 =	
43.	96 + 98 =	
44.	98 + 86 =	

Nombre ______________________________ Fecha ________________

1.	10 + 2 =	21.	2 + 9 =
2.	10 + 5 =	22.	4 + 8 =
3.	10 + 1 =	23.	5 + 9 =
4.	8 + 10 =	24.	6 + 6 =
5.	7 + 10 =	25.	7 + 5 =
6.	10 + 3 =	26.	5 + 8 =
7.	12 + 2 =	27.	8 + 3 =
8.	14 + 3 =	28.	6 + 8 =
9.	15 + 4 =	29.	4 + 6 =
10.	17 + 2 =	30.	7 + 6 =
11.	13 + 5 =	31.	7 + 4 =
12.	14 + 4 =	32.	7 + 9 =
13.	16 + 3 =	33.	7 + 7 =
14.	11 + 7 =	34.	8 + 6 =
15.	9 + 2 =	35.	6 + 9 =
16.	9 + 9 =	36.	8 + 5 =
17.	6 + 9 =	37.	4 + 7 =
18.	8 + 9 =	38.	3 + 9 =
19.	7 + 8 =	39.	8 + 6 =
20.	8 + 8 =	40.	9 + 4 =

Nombre ______________________________ Fecha ________________

1.	10 + 7 =	21.	5 + 8 =
2.	9 + 10 =	22.	6 + 7 =
3.	2 + 10 =	23.	____ + 4 = 12
4.	10 + 5 =	24.	____ + 7 = 13
5.	11 + 3 =	25.	6 + ____ = 14
6.	12 + 4 =	26.	7 + ____ = 14
7.	16 + 3 =	27.	____ = 9 + 8
8.	15 + ____ = 19	28.	____ = 7 + 5
9.	18 + ____ = 20	29.	____ = 4 + 8
10.	13 + 5 =	30.	3 + 9 =
11.	____ = 4 + 13	31.	6 + 7 =
12.	____ = 6 + 12	32.	8 + ____ = 13
13.	____ = 14 + 6	33.	____ = 7 + 9
14.	9 + 3 =	34.	6 + 6 =
15.	7 + 9 =	35.	____ = 7 + 5
16.	____ + 4 = 11	36.	____ = 4 + 8
17.	____ + 6 = 13	37.	15 = 7 + __
18.	____ + 5 = 12	38.	18 = ____ + 9
19.	8 + 8 =	39.	16 = ____ + 7
20.	6 + 9 =	40.	19 = 9 + ____

Nombre ____________________________   Fecha ______________

1.	15 - 5 =	21.	15 - 7 =
2.	16 - 6 =	22.	18 - 9 =
3.	17 - 10 =	23.	16 - 8 =
4.	12 - 10 =	24.	15 - 6 =
5.	13 - 3 =	25.	17 - 8 =
6.	11 - 10 =	26.	14 - 6 =
7.	19 - 9 =	27.	16 - 9 =
8.	20 - 10 =	28.	13 - 8 =
9.	14 - 4 =	29.	12 - 5 =
10.	18 - 11 =	30.	11 - 2 =
11.	11 - 2 =	31.	11 - 3 =
12.	12 - 3 =	32.	13 - 8 =
13.	14 - 2 =	33.	16 - 7 =
14.	13 - 4 =	34.	12 - 7 =
15.	11 - 3 =	35.	16 - 3 =
16.	12 - 4 =	36.	19 - 14 =
17.	13 - 2 =	37.	17 - 4 =
18.	14 - 5 =	38.	18 - 16 =
19.	11 - 4 =	39.	15 - 11 =
20.	12 - 5 =	40.	20 - 16 =

Nombre ______________________________ Fecha ________________

1.	12 - 2 =	21.	13 - 6 =
2.	15 - 10 =	22.	15 - 9 =
3.	17 - 11 =	23.	18 - 7 =
4.	12 - 10 =	24.	14 - 8 =
5.	18 - 12 =	25.	17 - 9 =
6.	16 - 13 =	26.	12 - 9 =
7.	19 - 9 =	27.	13 - 8 =
8.	20 - 10 =	28.	15 - 7 =
9.	14 - 12 =	29.	16 - 8 =
10.	13 - 3 =	30.	14 - 7 =
11.	_____ = 11 - 2	31.	13 - 9 =
12.	_____ = 13 - 2	32.	17 - 8 =
13.	_____ = 12 - 3	33.	16 - 7 =
14.	_____ = 11 - 4	34.	_____ = 13 - 5
15.	_____ = 13 - 4	35.	_____ = 15 - 8
16.	_____ = 14 - 4	36.	_____ = 18 - 9
17.	_____ = 11 - 3	37.	_____ = 20 - 6
18.	15 - 6 =	38.	_____ = 20 - 18
19.	16 - 8 =	39.	_____ = 20 - 3
20.	12 - 5 =	40.	_____ = 20 - 11

Nombre ______________________________ Fecha ________________

1.	12 + 2 =	21.	13 - 7 =
2.	14 + 5 =	22.	11 - 8 =
3.	18 + 2 =	23.	16 - 8 =
4.	11 + 7 =	24.	12 + 6 =
5.	9 + 6 =	25.	13 + 2 =
6.	7 + 8 =	26.	9 + 11 =
7.	4 + 7 =	27.	6 + 8 =
8.	13 - 6 =	28.	7 + 9 =
9.	12 - 8 =	29.	5 + 7 =
10.	17 - 9 =	30.	13 - 7 =
11.	14 - 6 =	31.	15 - 8 =
12.	16 - 7 =	32.	11 - 9 =
13.	8 + 8 =	33.	12 - 3 =
14.	7 + 6 =	34.	14 - 5 =
15.	4 + 9 =	35.	20 - 12 =
16.	5 + 7 =	36.	8 + 5 =
17.	6 + 5 =	37.	7 + 4 =
18.	13 - 8 =	38.	7 + 8 =
19.	16 - 9 =	39.	4 + 9 =
20.	14 - 8 =	40.	9 + 11 =

A

Respuestas correctas: ________

Resta de números del 11 al 19

1.	11 - 10 =	
2.	12 - 10 =	
3.	13 - 10 =	
4.	19 - 10 =	
5.	11 - 1 =	
6.	12 - 2 =	
7.	13 - 3 =	
8.	17 - 7 =	
9.	11 - 2 =	
10.	11 - 3 =	
11.	11 - 4 =	
12.	11 - 8 =	
13.	18 - 8 =	
14.	13 - 4 =	
15.	13 - 5 =	
16.	13 - 6 =	
17.	13 - 8 =	
18.	16 - 6 =	
19.	12 - 3 =	
20.	12 - 4 =	
21.	12 - 5 =	
22.	12 - 9 =	

23.	19 - 9 =	
24.	15 - 6 =	
25.	15 - 7 =	
26.	15 - 9 =	
27.	20 - 10 =	
28.	14 - 5 =	
29.	14 - 6 =	
30.	14 - 7 =	
31.	14 - 9 =	
32.	15 - 5 =	
33.	17 - 8 =	
34.	17 - 9 =	
35.	18 - 8 =	
36.	16 - 7 =	
37.	16 - 8 =	
38.	16 - 9 =	
39.	17 - 10 =	
40.	12 - 8 =	
41.	18 - 9 =	
42.	11 - 9 =	
43.	15 - 8 =	
44.	13 - 7 =	

B

Respuestas correctas: ________

Resta de números del 11 al 19

Mejora: ________

1.	11 – 1 =		23.	16 – 6 =	
2.	12 – 2 =		24.	14 – 5 =	
3.	13 – 3 =		25.	14 – 6 =	
4.	18 – 8 =		26.	14 – 7 =	
5.	11 – 10 =		27.	14 – 9 =	
6.	12 – 10 =		28.	20 – 10 =	
7.	13 – 10 =		29.	15 – 6 =	
8.	18 – 10 =		30.	15 – 7 =	
9.	11 – 2 =		31.	15 – 9 =	
10.	11 – 3 =		32.	14 – 4 =	
11.	11 – 4 =		33.	16 – 7 =	
12.	11 – 7 =		34.	16 – 8 =	
13.	19 – 9 =		35.	16 – 9 =	
14.	12 – 3 =		36.	20 – 10 =	
15.	12 – 4 =		37.	17 – 8 =	
16.	12 – 5 =		38.	17 – 9 =	
17.	12 – 8 =		39.	16 – 10 =	
18.	17 – 7 =		40.	18 – 9 =	
19.	13 – 4 =		41.	12 – 9 =	
20.	13 – 5 =		42.	13 – 7 =	
21.	13 – 6 =		43.	11 – 8 =	
22.	13 – 9 =		44.	15 – 8 =	

A

Respuestas correctas: ________

Resta cruzando la decena

1.	10 - 1 =	
2.	10 - 2 =	
3.	20 - 2 =	
4.	40 - 2 =	
5.	10 - 2 =	
6.	11 - 2 =	
7.	21 - 2 =	
8.	51 - 2 =	
9.	10 - 3 =	
10.	11 - 3 =	
11.	21 - 3 =	
12.	61 - 3 =	
13.	10 - 4 =	
14.	11 - 4 =	
15.	21 - 4 =	
16.	71 - 4 =	
17.	10 - 5 =	
18.	11 - 5 =	
19.	21 - 5 =	
20.	81 - 5 =	
21.	10 - 6 =	
22.	11 - 6 =	

23.	21 - 6 =	
24.	91 - 6 =	
25.	10 - 7 =	
26.	11 - 7 =	
27.	31 - 7 =	
28.	10 - 8 =	
29.	11 - 8 =	
30.	41 - 8 =	
31.	10 - 9 =	
32.	11 - 9 =	
33.	51 - 9 =	
34.	12 - 3 =	
35.	82 - 3 =	
36.	13 - 5 =	
37.	73 - 5 =	
38.	14 - 6 =	
39.	84 - 6 =	
40.	15 - 8 =	
41.	95 - 8 =	
42.	16 - 7 =	
43.	46 - 7 =	
44.	68 - 9 =	

B

Respuestas correctas: ________

Resta cruzando la decena

Mejora: ________

1.	10 - 2 =	
2.	20 - 2 =	
3.	30 - 2 =	
4.	50 - 2 =	
4.	10 - 2 =	
6.	11 - 2 =	
7.	21 - 2 =	
8.	61 - 2 =	
9.	10 - 3 =	
10.	11 - 3 =	
11.	21 - 3 =	
12.	71 - 3 =	
13.	10 - 4 =	
14.	11 - 4 =	
15.	21 - 4 =	
16.	81 - 4 =	
17.	10 - 5 =	
18.	11 - 5 =	
19.	21 - 5 =	
20.	91 - 5 =	
21.	10 - 6 =	
22.	11 - 6 =	

23.	21 - 6 =	
24.	41 - 6 =	
25.	10 - 7 =	
26.	11 - 7 =	
27.	51 - 7 =	
28.	10 - 8 =	
29.	11 - 8 =	
30.	61 - 8 =	
31.	10 - 9 =	
32.	11 - 9 =	
33.	31 - 9 =	
34.	12 - 3 =	
35.	92 - 3 =	
36.	13 - 5 =	
37.	43 - 5 =	
38.	14 - 6 =	
39.	64 - 6 =	
40.	15 - 8 =	
41.	85 - 8 =	
42.	16 - 7 =	
43.	76 - 7 =	
44.	58 - 9 =	

Créditos

Great Minds® ha hecho todos los esfuerzos para obtener permisos para la reimpresión de todo el material protegido por derechos de autor. Si algún propietario de material sujeto a derechos de autor no ha sido mencionado, favor ponerse en contacto con Great Minds para su debida mención en todas las ediciones y reimpresiones futuras.